Light up, light up / As if you have a choice / Even if you
can not hear my voice / I'll be right beside you dear

Snow Patrol, uit 'Run' (*Final Straw*, 2004)

Kluun

De weduwnaar

Uitgeverij Podium
Amsterdam

Voor Eva

Eerste druk mei 2006
Tweede druk mei 2006
Derde druk juni 2006
Vierde druk juli 2006
Vijfde druk juli 2006
Zesde druk augustus 2006
Zevende druk september 2006
Achtste druk oktober 2006

Copyright © Kluun 2006
Omslagontwerp Eric Hesen
Typografie Sander Pinkse Boekproductie
Foto auteur Michel Porro

Verspreiding voor België: Van Halewyck, Leuven

ISBN-10: 90 5759 291 6
ISBN-13: 978 90 5759 291 1

www.uitgeverijpodium.nl
www.kluun.nl

INHOUD

Het is hier acht uur in de ochtend. Ik sluit aan in de rij wachtenden. We zijn de laatsten uit het vliegtuig. Iedereen staat voor ons. Luna slaapt nog half en vlijt haar hoofd tegen mijn schouder. Als ik haar voorzichtig van mijn linker- naar mijn rechterarm verplaats, ruik ik een indringende zweetgeur onder mijn oksel.

Na een dik halfuur zijn wij aan de beurt.

De ondervragingstechniek van de Australische beambte zou niet hebben misstaan in het Duitsland van enkele decennia geleden.

Paspoort.

'Ik moet je heel even neerzetten, schatje.' Ik zet mijn dochter boven op de bagagetrolley, haal mijn paspoort tevoorschijn en geef het aan de beambte. Hij begint er traag in te bladeren.

Dit gaat wel even duren. In mijn handbagage zoek ik naar een lolly voor Luna.

'Ben je moe?'

Ze knikt.

'Als we zo meteen de camper hebben opgehaald kun je weer verder slapen.'

De beambte bekijkt mijn foto en richt zijn norse blik op mij. En weer op de foto. Ik voel me nu al schuldig. Hij bladert door naar Luna's foto en kijkt dan opnieuw naar mij.

Wat we komen doen in Australië.

Ja, hallo, als ik dat eens wist.

'*Holiday.*'

Hoe lang.

'Enkele maanden.'

Hoeveel maanden?

'Eh... drie? Vier? Misschien wel vijf, als u dat goed vindt.'

Of ik een grapje maak.

Dat was ik even vergeten: nooit bijdehand doen tegen portiers.

Visum is zes maanden geldig. Geen dag langer. *Understood, mate?*

Ja. Oké.

Waar we heen gaan.

Rondreizen. Samen met mijn dochter.

Waar?

Van noord naar zuid, langs de kust.

Of ik een retourticket kan laten zien. Hoeveel geld we bij ons hebben. Hoe we gaan reizen. Waar we overnachten. Waar we de eerste avond slapen. Of ik daar een voucher van kan laten zien. In welk land we het laatst zijn geweest.

Thailand.

Thailand?!?

O. Fout antwoord.

Of ik even goed de tekst hier op zijn raampje wil lezen. Het is een opsomming van alles wat hier verboden is. Drank, drugs, wapens, porno, etenswaren. De waslijst maakt me lichtelijk nerveus.

Ik verklaar dat we niets aan te geven hebben.

Of we voorwerpen uit Thailand vervoeren, vraagt de beambte.

Ik eh... denk van niet.

Ik denk of weet zeker van niet?

Zeker. Denk ik.

Dus geen etenswaren?

Nee.

Ook geen fruit?

Ook geen fruit, nee.

Zeker?

Ja.

Geen etenswaren dus?

De beambte kijkt naar Luna, die tevreden aan haar lolly sabbelt.

O.

Of ik wel weet dat liegen tegen een *immigration officer on duty* strafbaar is.

Met een rood hoofd haal ik de aangebroken zak met lolly's uit de tas en lever hem in. De beambte kijkt naar Luna. Ik kijk hem smekend aan, maar hij schudt zijn hoofd.

'Schatje, de lolly mag van die meneer niet mee naar Australië.' Luna is te moe om te protesteren en doet haar mond open. Voor ze zich bedenkt, pak ik snel de lolly eruit en kijk om me heen waar ik dit levensgevaarlijke object kan droppen.

De beambte heeft er voorlopig nog geen genoeg van.

Of we in Thailand dierentuinen hebben bezocht.

Iets in me zegt dat het in het kader van de voortgang slimmer is om het op nee te houden.

Of ik mijn koffer wil openen.

Nu lijkt nee me geen goed antwoord.

De beambte kijkt in de koffer.

Wat dat zand aan mijn slippers doet.

Van de *beach*.

Dat mag niet, beach. Geen Thaise beach in Australië. Uitkloppen. Nee, niet hier, maar daar. En onder de kraan.

Als ik terugkom zijn wij als enigen in de hal overgebleven.

De beambte bekijkt mijn paspoort opnieuw. Hij bekijkt de stempels in mijn paspoort. Al mijn reizen met Carmen. Hij bladert verder. Ibiza. Bangkok. Hij kijkt naar Luna.

'*Your daughter?*'

'*Yes.*'

Hij kijkt mijn paspoort weer in.

'*Why is her mother not here?*'

Godverdomme. Nu is het afgelopen. Ik kijk hem strak in zijn ogen en wacht even.

'*Her mother is dead, sir. She had cancer and died half a year ago.*'

WAT ERAAN VOORAFGING

Jullie leefden beestachtig gelukkig,
maar daar is gewoon een einde aan gekomen.

Jan Wolkers, uit *Turks fruit* (1973)

Een oudere man, met overduidelijk een toupet op, wijst met zijn wandelstok naar de deur.
'U moet zich eerst binnen melden.'
We worden uitgebreid, haast meewarig bekeken door de andere patiënten. Ook een ziekenhuis heeft zijn eigen rangorde. Wij zijn hier duidelijk nieuw, wij zijn de toeristen van de wachtkamer, wij horen er niet bij. Maar de kanker in Carmens borst denkt daar heel anders over.

*

Ik kan het nog steeds niet bevatten. We zijn zesendertig, hebben een schat van een dochter, allebei een eigen zaak, we leven als God in Amsterdam, we barsten van de vrienden, we doen alles wat in ons opkomt, en nu zitten we op Koninginnedag de halve ochtend over niets anders dan kanker te praten.
'Je kunt ook iets minder duidelijk laten merken dat je baalt, hoor,' snauwt Carmen. 'Ik kan er ook niks aan doen dat ik kanker heb.'
'Nee, en ik ook niet,' zeg ik nijdig.

*

In de Albert Heijn op het Groot Gelderlandplein kijk ik naar een man en een vrouw van een jaar of tachtig. Ze lopen gearmd en schuifelen langs het schap met wijn. Ik hou Luna's handje een beetje steviger vast en kijk snel een andere kant op. Het verliefde bejaarde stel maakt me stikjaloers. Carmen en ik gaan dit samen nooit meemaken.

*

13

Langzaam komt het verband los. Wat eronder vandaan komt is vrouwonterend lelijk. Het is de grootste verminking die ik ooit *live* heb gezien. Een grote ritssluiting loopt van links naar rechts over haar borst.

'Het is lelijk, hè, Stijn?'

'Het is... niet mooi, nee.'

Ik zie aan haar blik dat ze tot op het bot vernederd is. Vernederd door de kanker.

*

'Laat me raden,' zegt Frenk. 'Je hebt een verhouding.'

'Ja. So what?' – Nou, scheld me maar de huid vol, als je durft, eikel.

Frenk scheldt me niet uit.

'Ik hoop dat je van Roos krijgt wat je nodig hebt om te overleven, Stijn.'

*

'Ik denk dat ik niet meer van Carmen hou.'

Roos kijkt me recht in mijn ogen. 'Je houdt wel van Carmen,' zegt ze kalm. 'Dat merk ik toch, hoe je over haar praat, hoe trots je me haar sms'jes laat zien. Je haalt liefde en geluk door elkaar. Je bent niet gelukkig nu, maar je houdt wel van haar.'

*

Frenk klinkt aangeslagen. 'Carmen belde net. Ik denk dat je haar maar even snel moet bellen, anders heb je een groot probleem.'

'Wat heb jij gezegd?'

'Dat ik nog sliep en niet weet hoe laat je weg bent gegaan.'

*

'Wat jij allemaal doet als je tot halfvijf in de kroeg hangt, wil ik niet eens weten. Ik wil niet weten van wie je sms'jes krijgt, ik wil niet weten waar je bent als je de telefoon niet opneemt. Ik had allang het vermoeden dat je vreemdging bij het leven. Als jij ziek was, deed ik misschien wel hetzelfde. Misschien had ik er allang een andere vent bij.'

Verschrikt kijk ik haar aan. Zou ze het weten?

*

'Wat u voelt, is inderdaad uw lever,' begint dokter Scheltema. 'Ik vrees dat zich daar een metastase bevindt.'

14

Soms hoor je een woord dat je nog nooit hebt gehoord, maar waarvan je meteen weet wat het is.
'Een uitzaaiing?'
'Inderdaad. Een uitzaaiing.'

*

'Hoe gek het ook klinkt, ik ben nog opgelucht ook,' begint Carmen, nog voor we de parkeerplaats van het Lucas-ziekenhuis af zijn. 'Nu weten we tenminste waar we aan toe zijn. Ik ga dood.'
Ze is ineens het toonbeeld van levenslust.
'Ik wil op vakantie,' zegt ze met een felle blik in haar ogen. 'Zoveel mogelijk. O, kun je hier trouwens even bij die snackbar stoppen?'
'Hoezo?'
'Even sigaretten halen. Ik ga weer roken.'
'Gewone Marlboro of Light?' vraag ik haar voor ik de auto uitstap.
'Gewoon. Beetje longkanker erbij maakt nu toch niks meer uit.'

*

Lieve Luna,
In dit boek wil ik allemaal dingen opschrijven die we samen doen en meemaken, zodat je altijd zult weten hoeveel ik van je hou. Ik ben ziek. Ik heb kanker, en als je dit leest ben ik er niet meer. Ik hoop dat dit boek een fijne herinnering zal zijn. De meeste dagen kan ik pas tegen de middag uit bed komen. 's Ochtends ben ik te misselijk. Papa staat elke ochtend met jou op en doet al het werk. Soms snauw ik papa dan af, omdat ik dat allemaal niet kan doen.

*

Ik kruip weg in mijn schoonmoeders armen.
'Zou je af en toe niet willen dat het allemaal voorbij was?' vraagt ze.
'Ja. Als ik eerlijk ben wel,' fluister ik.
'Dat snap ik, jongen,' zegt ze zachtjes. 'Dat snap ik best. Je hoeft je niet te schamen.'

*

'Stijntje toch, wat zie je er gestrest uit,' zegt Maud. 'Is er iets gebeurd?'
'Nee, hoor. Wodka-lime allebei?'
'Ik een Breezer,' kirt Natas en ze slaat een arm om me heen. 'Doe maar zo'n rooie. Daar krijg je zo'n zoete tong van. Mag jij 'm straks proeven.'

Als ik thuiskom zit Carmen met haar kale hoofd en haar grijze badjas aan op het bed van Amsterdam Thuiszorg in de huiskamer. Ze kijkt me dood.

'Waar was je toen ik je belde?'

'Bij een meisje.'

Klets.

Voor het eerst in mijn leven slaat een vrouw me in mijn gezicht.

'En of het nog niet erg genoeg is, pak je met je zatte ballen de auto! Straks heeft Luna godverdomme niet alleen geen moeder meer, maar ook geen vader!'

*

'Wat is de naam van je vrouw?' vraagt spiritueel therapeut Nora.

'Carmen.'

'Carmen is klaar om dood te gaan.'

De rillingen lopen over mijn lijf... 'Je hoeft er niet bang voor te zijn. Dat is zij ook niet. Het is goed. Ik zou zo meteen maar rechtstreeks naar huis gaan. Het begint sneller dan je denkt...' – BOEM – '...Zorg dat je er bent als het gebeurt...' – BOEM – '...Ze zal je er heel dankbaar voor zijn. En jij jezelf ook.'

*

Carmen glimlacht. 'Ik hoop dat je snel weer gelukkig wordt. Met een nieuwe vrouw. Maar je moet iets aan het vreemdgaan doen, Stijn.'

'Monogaam zijn...'

'Nee, dat lukt bijna niemand een leven lang. Jou zeker niet. Maar zorg dan dat *niemand* ervan weet.'

Ik heb mijn blik schuldbewust naar de grond gericht. Ik aarzel even, maar besluit dan toch te vragen wat me nog steeds dwarszit.

'Zijn er nog dingen die je van me wilt weten? Die je nooit aan me hebt durven vragen?'

Ze glimlacht weer. 'Nee. Je hoeft je nooit schuldig te gaan voelen. Ik weet alles wat ik wil weten.'

'Weet je het zeker?'

'Ja. Het is goed zo.'

*

'Ik wil jullie iets vragen,' zeg ik, Maud en Frenk beurtelings in de ogen kijkend. 'Ik wil een eerlijk antwoord.'

Ze knikken.

'Ik denk erover Roos te vragen naar de begrafenis te komen.'
Ze zijn allebei even stil.
'Doen,' zegt Frenk.
Maud wacht even en knikt dan.
'Ja. Ik vind ook dat het kan.'

*

'Ik denk dat ik toch de Gucci-gympen in plaats van die Puma's aandoe.'
'Huh?'
'In de kist. Bij mijn blauwe jurk.'

*

Ik til haar op. Haar voeten raken net de grond. Ze hangt in mijn armen, ik draai haar langzaam wiegend rond. We dansen langzamer dan op onze trouwdag, maar we dansen. Ik in mijn onderbroek, Carmen in haar zijden pyjama. Zachtjes zing ik de tekst in haar oor mee.
I want to spend my life with a girl like you... And do all the things that you want me to... I tell by the way you dress that you're so refined... And by the way you talk that you're just my kind... Till that time has come and we might live as one... Can I dance with you...
Als het nummer is afgelopen, geef ik haar een tongzoen. Het is intiemer dan seks.

*

'Ik hou van jou,' zegt Luna beduusd. En dan begint ze Carmen te kussen. Over haar hele gezicht. Zoals ze nog nooit gedaan heeft. Luna kust Carmens wang, haar oog, haar voorhoofd, haar andere wang.
'Dag, kleine lieverd van me,' zegt Carmen nog een keer. Luna zegt niets meer. Ze zwaait naar Carmen, haar ene hand in die van mij. En geeft Carmen een kushand. Carmen houdt haar hand voor haar mond en huilt verder.
Luna en ik lopen de slaapkamer uit. Carmen zal Luna nooit meer zien.

*

De huisarts zit met zijn armen over elkaar naar buiten te kijken.
'Geniet nog, de rest van je leven,' zegt ze zacht en ze streelt me over mijn wang.
'Zal ik doen. En ik zal goed voor je dochter zorgen.'
'Tot ziens, grote liefde van me...'
'Tot ziens, liefie...'

We kussen elkaar en dan zegt Carmen tegen de dokter dat ze er klaar voor is. De dokter geeft haar het glas aan.

'Daar gaan we dan,' zegt Carmen. Ze zet het glas aan haar mond en begint te drinken.

'Mmmm... dit voelt goed,' zegt ze na een paar seconden, alsof ze in een warm bad ligt. Haar ogen zijn gesloten.

*

Ik ga naar de tuin en vertel dat Carmen overleden is. Iedereen reageert gelaten. Opgelucht zonder het te durven zeggen. Frenk en Maud knikken slechts. Thomas staart voor zich uit. Anne houdt zijn hand vast. Luna is vrolijk en zit kirrend in de neus van Carmens moeder te knijpen.

Haar moeder, haar dochter, hun vriendin, mijn vrouw is dood.

Deel I
Stijn

Kom niet bij me kloppen / de deur is op slot /
laat me nou eens pitten / want ik ga kapot

Doe Maar, uit '1 Nacht Alleen' (4US, 1983)

EEN

Carmen ligt nu drie dagen in de huiskamer, zonder pijn, met een tevreden glimlach op haar mond. Toegegeven, ze heeft er weleens beter uitgezien, maar voor een lijk vind ik dat ze er zeker nog mag wezen.

Maud en Anne hebben haar opgemaakt, de avond nadat ze ons verliet. Toen viel die glimlach ons voor het eerst op. En, heel apart, dat haar ene oog niet helemaal dicht is. Alsof ze knipoogt. We vonden het eerst wat luguber, maar hoe langer we ernaar keken, hoe meer we het des Carmens vonden. We hebben het maar zo gelaten. Zelfs de dood kan de pret niet van haar gezicht afslaan.

Die eerste nacht werd ik om half-vijf wakker. Voor het eerst drong het tot me door dat Carmen nooit meer naast me zou slapen. Toen kwam-ie, de huilbui. Ik liep naar beneden, opende de huiskamerdeur, boog over de kist en stond daar, in mijn onderbroek, snotterend te kijken naar mijn dode vrouw in haar felblauwe Replay-jurk met het Diesel-spijkerjasje.

> **Maud.** Ex van Stijn, jaren geleden, in Breda. Werkt nu bij Merk in Uitvoering, het bedrijf van Stijn en Frenk. In de loop der jaren ook een van Carmens beste vriendinnen geworden. Kan niet goed tegen drank (geil) en al helemaal niet tegen xtc (geil[2]).
> Quote: *'Ik durf Carmen niet meer onder ogen te komen.'*

> **Anne.** Carmens beste vriendin, uit Maarssen. Stijn vindt Anne een vleesgeworden Miss Etam. Anne heeft Stijn altijd maar zozo (lees: een egoïstische hufter die zijn handen niet van andere vrouwen af kan houden) gevonden, maar nam het, als puntje bij paaltje kwam, steeds voor hem op.
> Quote: *'Het is een klootzak, Carmen, maar hij hóúdt wel van je.'*

De onderste helft van de kist is bedekt, met een houten klep, de witte Gucci-gympen zijn niet te zien. De glasplaat die de bovenste helft van Carmens lichaam laat zien, kan open, maar dat doe ik zo weinig mogelijk. Gelukkig maar, want toen ik die eerste nacht zo over die kist hing, viel er een klodder emotie uit mijn neus. Nu ging-ie er met wat Glassex en een washand nog af, maar anders had ik met vlekkendepper aan de slag gemoeten. Ik moet er niet aan denken om die jurk om Carmens verstijfde lichaam schoon te schrobben.

Toen Luna gisteren vroeg of ze mama mocht aanraken, schudde ik nee. Het leek me niet goed voor een kind om te merken dat mama helemaal koud en stijf is geworden. Dan wordt de ingetreden dood wel heel concreet. Luna keek beteuterd. Toen besloot ik dat ik het er toch maar op moest wagen. Ik nam haar op mijn arm en waarschuwde dat mama heel koud zou aanvoelen. Luna stak haar handje uit en voelde. Ze begon te giechelen. 'Mama lijkt wel een ijsje,' zei ze. En toen vroeg ze of ze mama mocht kussen. Welja, we zijn nu toch bezig, dacht ik. Ik tilde haar voorover en zag hoe ze Carm kuste. Luna vond het zo te zien de normaalste zaak van de wereld. Die video van Sneeuwwitje met die dwergen is zo gek nog niet, educatief gezien.

Zelf ben ik niet zo cool. Ik ben nooit vies van mijn vrouw geweest, ook niet als ze ongesteld was, maar nu vind ik haar doodeng. Ik had me voorgenomen om, zolang Carm hier in huis opgebaard ligt, elke dag een verse Callas-lelie in de kist te leggen, maar daar had ik na de eerste keer al spijt van. Die lelie tussen haar koude, verstijfde handen te moeten leggen, brr. Het ergste vind ik dat de geur van Callas-lelies me voortaan niet meer zal doen denken aan de stralende Carmen in haar sexy trouwjurk, maar aan deze Carmen, die hier morsdood op die witte, geplooide zijde in haar kist ligt.

Het wordt tijd dat ze ondergronds gaat. Niet dat ik van haar af wil, maar ik merk dat mijn bezoekjes aan de huiskamer me steeds minder makkelijk afgaan. Ik doe het wel, een paar keer per dag, maar het is vanuit een bijna dwangmatig plichtsbesef. Net als ik altijd op de laatste avond met carnaval heb: al heb je geen zin, tóch gaan. Straks kan het niet meer.

Vooral als er iemand bij is voel ik me niet op mijn gemak. Gisteren, toen ik de tweede lelie in haar handen legde, kwam Carmens moeder net binnen. Op de een of andere manier bekroop me het gevoel dat ik mijn genegenheid voor Carm moest tonen door haar een kus te geven. Ik leunde met mijn handen op de kist. Ik aarzelde. Koudlijkvrees.

'Ik durf het bijna niet te zeggen, maar ik word misselijk bij het idee

> **Carmens moeder.** Al sinds diep in de vorige eeuw gescheiden. Wist van Stijns buitenechtelijke escapades, maar herkende bovenal zijn liefde voor haar dochter.
> Quote: *'Ik ben trots op je als schoonzoon. En nu wil ik koffie, rotjoch.'*

dat ik Carmen moet kussen,' zei ik uiteindelijk tegen Carmens moeder.

'Gelukkig,' antwoordde ze opgelucht. 'Ik dacht dat ik de enige was.'

Vanochtend meenden we te ontwaren dat Carmen niet alleen stijf en koud was, maar ook een beetje paars begon te worden. Ik heb de begrafenisondernemer gebeld en gevraagd of hij wel zeker wist dat de koelinstallatie onder de kist in de huiskamer naar behoren functioneert. Dat-ie niet op vriezen stond of zo. De begrafenisondernemer kwam de boel inspecteren en verzekerde me dat Carmens kleurverandering normaal is. Normaal, me reet, dacht ik, het kan dan wel jouw beroep zijn, maar ik weet heus wel hoe mijn Carmpje eruitziet als het niet goed met haar gaat.

'Je ziet gewoon dat het leven er nu echt uit is, dat het echt een lijk is. En dat is maar goed ook,' zei de man, toen hij mijn bezorgdheid zag, 'anders zou het psychisch ondoenlijk zijn om haar morgen te begraven.'

Vanmiddag hebben Carmens moeder en ik een rondleiding gehad op Zorgvlied. We kregen een celebrity-tour van de dame die ons als account had toegewezen gekregen. Ik weet nu precies welke dooie BN'ers waar liggen. Bij de ingang is het graf van Manfred Langer van de iT, een stukje verderop dat van Annie M.G. Schmidt en weer een stuk verderop ligt Jan Schaefer.

We kozen voor Carmen een eenvoudige plek in de zon uit, aan het looppad in een van de nieuwere gedeeltes van de begraafplaats.

'Dat vindt ze wel gezellig, als er veel mensen voorbijlopen,' zei Carmens moeder.

'Ja, ze was altijd gek op terrasjes. Er liggen toch niet alleen oude mensen naast, hè?' vroeg ik aan de begraafplaatsmevrouw.

Onze gids luisterde al niet meer. Ze pakte haar pen. 'Dus het wordt nr. C3 in sectie 19-2.'

We knikten. Als Carmen ergens binnenkwam werd het altijd gezellig, dus dat zal hier, op nr. C3 in sectie 19-2 ook wel lukken.

Behalve die eerste nacht heb ik amper tijd gehad om Carmen te missen. Sinds ze met een tevreden gezicht de dood in gleed, heb ik me het apelazarus gewerkt. Carm wil dat haar begrafenis een feest wordt en feestjes organiseren is me altijd goed afgegaan, maar dit was bijna niet te doen. Bij een bruiloft begin je toch ook niet pas drie dagen van tevoren met uitnodigingen, een locatie, de catering en een dj te regelen?

Maar het is voor elkaar. Mijn toespraak is klaar, we hebben honderd bekers Macadamia Nut Brittle ingeslagen, er is Engelse drop, er zijn brownies, de muziek voor in de kerk is uitgezocht, tweehonderd cd's met *Mooie Herinneringen* zijn gebrand.

Iedereen kijkt uit naar morgen.

Ik eigenlijk ook wel. Na morgen begint mijn leven weer. De afgelopen dagen heb ik kunnen wennen aan mijn nieuwe status als weduwnaar. Ik werd bedolven onder de e-mailtjes, sms'jes, brieven, kaarten en telefoontjes. Alsof ik de Himalaya heb beklommen met Carmen op mijn rug.

Het is wat.

Toen ik zeventien was sprak ik Duits, Engels, kon ik al bijna autorijden, zwemmen en alle hoofdsteden van Zuid-Amerika opnoemen, toen ik zevenentwintig was kon ik twintig bier drinken zonder te kotsen, een linksback met een schaar passeren zonder mijn been te breken, een zaal van honderd man toespreken zonder te blozen, en een condoom om mijn lul wurmen zonder het licht aan te doen, maar om te leren wat liefde is heb ik moeten wachten tot mijn zevenendertigste. Tot mijn vrouw een dodelijke ziekte kreeg.

TWEE

'Gewoon draaien?'

'Ja.'

'Met de klok mee?'

'Ja. Net als gewone schroeven.'

'Ik ben niet zo handig,' zeg ik tegen de begrafenisondernemer.

De schroeven gaan in de voorgeboorde gaten van de kist alsof ze ervoor gemaakt zijn. Zelfs ik, die nog geen gaatje in de muur heeft geboord tijdens de verbouwing van ons nieuwe huis, kan het. Carmen zou zich kapot lachen. Heeft ze me toch nog aan het klussen.

Beneden, in de keuken, staan tientallen mensen te wachten. Niemand is in het zwart, velen wel in het nieuw. Carmen kan tevreden zijn. Sommigen zijn even naar boven geweest, om haar nog een laatste keer te zien. Veel mensen wilden Carmen liever herinneren zoals ze was. Dat geldt ook voor Frenk, Thomas, Maud, Anne en Carmens moeder, met wie ik de kist ga dragen. Als ik samen met de begrafenisondernemer de kist heb dichtgeschroefd, komen ze naar boven.

De organisator van de dood[1] legt uit hoe we, staand in twee rijtjes van drie, de kist moeten optillen, hem op onze schouder moeten zetten en vervolgens met de ene hand elkaars schouder moeten vasthouden en met de andere het hengsel aan de

> **Frenk.** Samen met Stijn eigenaar van marketingbureau Merk in Uitvoering. Hetero, maar niet praktiserend. Seksueel niet of nauwelijks actief. *Fashion victim.* Beste vriend van Stijn én Carmen. Quote: *'Ik kan jullie toch niet alleen laten op Koninginnedag?'*

> **Thomas.** Man van Anne. Ouwe schoolvriend van Stijn uit Breda. Bijnaam: de Beer van Maarssen. Geen prater. Kalende *family man*, type geef-'m-de-kans-niet. Quote: *'Geen woord tegen Anne over carnaval, hè!'*

zijkant van de kist. De begrafenisondernemer bekijkt onze opstelling. Na een korte overpeinzing wijzigt hij de posities. Hij plaatst Thomas achter Carmens moeder en laat Frenk aan de andere kant van het veld plaatsnemen, een buitengewoon succesvolle ingreep. We krijgen er lol in. Maar onze coach vindt het nog te link om ons de kist over de trap naar beneden te laten dragen. Hij laat zijn assistenten dit zwarte gedeelte van de piste nemen. Beneden nemen wij het over en dragen de kist de deur uit, de witte lijkwagen in.

Iedereen is doodstil. Er wordt gesnotterd. *Carmen has left the building*.

Ik til Luna op en zet haar in mijn nek. Ze draagt haar felblauwe jurkje, dezelfde kleur als mama's jurk. In haar haar heb ik vanochtend twee zonnebloemspeldjes gedaan. Ze ziet er tranentrekkend lief uit, zo met haar speentje in haar mond. Bij hoge uitzondering mag ze het speentje vandaag de hele dag in houden, heb ik vanochtend in bed beloofd. Ik vertelde haar dat vandaag de dag is dat we met een heleboel mensen naar de kerk gaan, dat we daar muziek draaien die mama mooi vindt, zoals ons trouwnummer, en dat papa en andere mensen daar lieve verhalen over mama gaan vertellen. En dat we na de kerk met auto's naar de begraafplaats gaan, waar we mama's kist voorzichtig in een groot gat, met heel veel zonnebloemen eromheen, laten zakken. Ze knikte, keek naar de traan die over mijn wang liep, maar zei niets.

Nu, buiten, met al die mensen met bloemen om ons heen, is ze nog steeds stil. In haar hand heeft ze een antroposofisch popje, dat ze net van Anne heeft gekregen. Met mijn handen hou ik Luna's beentjes vast. Ik streel ze met mijn duimen. Ze legt haar handjes op die van mij. Ik merk dat de blikken van de meesten op dat mensje in mijn nek gericht zijn. Het mensje dat, in tegenstelling tot al die grote mensen, niet beseft wat er aan de hand is.

De auto begint stapvoets te rijden, de achterklep open, langzaam weg van ons huis, de Johannes Verhulststraat uit, richting Jacob Obrechtkerk. Ik volg, mijn blik strak gericht op de kist. Ik heb twee jaar de tijd gehad om me op dit moment voor te bereiden en nog voelt het alsof ik in een film ben beland. Alsof ik de recensie niet goed heb gelezen en nu zit te kijken naar iets wat ik helemaal niet wil zien. Daar voor me, in die lijkwagen, ligt ze, de vrouw met wie ik zes jaar geleden ben getrouwd. Carmen van Diepen. Ik loop achter haar aan in mijn witte Joop!-pak dat ik vorige week nog aan haar heb geshowd. Haar dochter zit op mijn schouders.

Hier lopen we dan. De een in de bloei van zijn leven, de ander met nog een leven voor zich. Op weg naar de begrafenis van zijn vrouw en haar moeder. Ik ben er nog steeds niet uit wat hier de bedoeling van is, maar als ik zelf niet de pineut zou zijn, zou ik bijna respect kunnen opbrengen voor degene die dit script heeft verzonnen: hedonist wordt verliefd, trouwt, krijgt kind, gaat vreemd, vrouw wordt ziek en overlijdt, hedonist blijft over met dochter en een vraagteken over de zin van dat alles. Zo verzin ik ze zelf niet, hoor.

Carmens moeder loopt naast me. Ze huilt. Achter ons een stoet van tientallen snotterende vrienden, collega's en familie. Ik huil niet. Ik voel me op een vreemde manier ijzersterk. Ik laat een van Luna's beentjes los en sla een arm om mijn schoonmoeders schouder.

Alles komt terecht.[2]

Let maar op.

DRIE

'Lieve Carmen,

Je wilde mensen aan het denken zetten. Vertellen dat ze moeten genieten van elke dag. Van jouw begrafenis. Van de rest van hun leven. Van de liefde, van de vriendschap, van mooie kleren, van kleine dingen, van decadente dingen. Genieten is een levenskunst, zei je.

Ik lees een stukje uit jouw dagboek aan Luna voor:

Ik hoop echt dat ik iets achterlaat bij mensen en dat ze jou dat later vertellen. Ik denk namelijk, en dat is niet alleen nu ik ziek ben, dat als je iets echt wilt in het leven dat je het gewoon moet doen. Ik ben op wereldreis gegaan. Ik hoor van veel mensen dat ze dat ook hadden willen doen maar het er niet van kwam. Luna, er zijn vaak honderd redenen om iets niet te doen, maar juist die éne reden om het wel te doen zou genoeg moeten zijn. Het zou toch heel treurig zijn als je spijt krijgt van dingen die je niet hebt gedaan, want van alle dingen die je wel doet, kun je uiteindelijk alleen maar iets leren.'

Ik leg het dagboek van Carmen weg en neem een slok water. Het is doodstil in de kerk.

'Liefde van mijn leven, ik heb van je geleerd en van je genoten.

Ik zal je missen, maar ik ga door, hoe moeilijk het soms ook zal zijn.

En ik zal goed voor je dochter zorgen. Tot ziens, liefie.'

Het leuke van Amsterdam is dat er zoveel gejat wordt dat het een enorme verrassing is als je fiets er nog wél staat. Zo vergaat het me ook elke keer als ik mijn bootje zie liggen op de plek waar ik het de vorige keer heb aangemeerd.

Ook vandaag zit het mee: hij ligt er nog. Met een Callas-lelie en een zonnebloem voor Carmen en een koelbox met een fles rosé, twee pakjes Fristi en een zak clownkoekjes loop ik over het gras naar de kade. Luna draagt een tekening die ze vanochtend voor mama heeft gemaakt. Ik til Luna in het bootje, laad onze proviand in en vaar via de Apollohal en het Okura richting Amstel, de stad uit. Af en toe stoppen we even om wat clownkoekjes aan de eendjes te voeren.

Bij Zorgvlied meer ik aan. Met de bloemen en de tekening lopen we door de poort met de ijzeren hekken de begraafplaats op.

'Het is net een huisje zo,' zegt Luna als ze de bloemenzee bij het graf ziet. 'Ligt de kist van mama hier nu onder?'

Ik knik. 'Ja, hieronder ligt mama's kist.'

'Met haar lijfje erin?'

Ik knik.

'Bij de kerk lieten mensen ballonnen op voor mama, hè?'

'Ja. Vond je dat ook zo mooi?'

'Ja. Gaan die naar de hemel?'

'Wie weet. Wat denk jij?'

'Ik denk van wel,' zegt ze met een serieus gezicht. 'Dan kan mama de engeltjes nu een ballon geven. Dan hebben ze er allemaal één!'

'Ja.'

Er komt een oudere dame voorbij. Snel veeg ik mijn wangen droog, met de mouw van mijn overhemd.

'Schaam je maar niet hoor, het ligt hier vol tranen van ons allemaal,' zegt ze als ze langs het graf komt.

Als ik mijn gsm weer heb aangezet en Luna in het bootje heb getild, komen er vijf berichten binnen. Ramon, of ik zin heb om vrijdag mee naar de Bastille te gaan. Natas, dat ze in het Vondelpark is met een paar vriendinnen. Een van die vriendinnen, die zegt dat Natas heeft verteld dat ik zo leuk ben. Frenk, dat hij het echt niet erg vindt als ik morgen nog niet kom werken. En Roos.

Ik weet dat je vandaag met Luna naar Zorgvlied zou gaan. Lijkt me niet makkelijk. Misschien heb je behoefte aan warmte en praten. Heb even je au pair gebeld en die kan vanavond oppassen op Luna. Tafel geboekt bij Palma, bij jou op de hoek. Ik trakteer. X.

Ik glim. De schat.

Ramon. Stapvriend van Stijn. Koning van de sportschool, keizer van de xtc. Kende Carmen alleen van feestjes.
Quote: *'Vreemdgaan, dat hou je voor jezelf en voor je vrienden.'*[3]

Natasja. Ook wel: Natas of Tas. Stagiaire bij Merk in Uitvoering. Jong doch ervaren. Verleidde Stijn en Maud onder invloed van Ramons xtc tot een trio. Kende Carmen niet.
Quote: *'Zin in iets spannends, Stijn?'*

Roos. Had een verhouding met Stijn. Werd door hem per sms van Carmens laatste weken op de hoogte gehouden.
Quote: *'Straks zit jij je hele leven met een schuldgevoel en voel ik me heel mijn leven een slet.'*

VIJF

'*Was someone sleeping here tonight?*' vraagt mijn au pair, als ik de keuken binnenkom.

> **De au pair.** Kwam in huis toen Carmen ziek was, met het oog op morgen. Lelijk, vegetarisch, chagrijnig. Stak lekker af bij Carmens levenslustigheid, tot op haar sterfbed toe.
> Quote: 'Pfffff...'

Luna laat Baby Bunny uit haar handen vallen en komt op me afrennen om me een kus te geven.

'*Eh... yes.*'
'*Why?*'
'*What do you mean, why?*'
'*Nothing.*'

Roos was al vroeg weg vanochtend. Ze hoefde pas om negen uur te werken, maar ze wilde niet de kans lopen dat Luna vroeger wakker zou zijn en haar zou zien. 'Ik douche thuis wel,' fluisterde ze, toen ze om zeven uur even vanuit de logeerkamer mijn slaapkamer binnenkwam. Ze drukte een kus op mijn mond en sloop stilletjes het huis uit.

'*Listen... I have to go to work. It's a bit late, can you make Luna a sandwich?*'

Ik vertel Luna dat ik nu naar mijn werk moet. Ze staat een beetje beteuterd te kijken als ik haar vertel dat ze vandaag met de au pair mag spelen.

Als ik in de auto stap slaap ik nog half. Dit wordt geen makkelijke dag. Zo meteen willen Frenk en Maud en Natas en alle anderen ongetwijfeld napraten over hoe mooi de begrafenis van afgelopen vrijdag was.

Op een internetsite over rouwverwerking heb ik gelezen dat veel mensen die een dierbare hebben verloren, baat hebben bij routine en daarom heb ik met Frenk afgesproken dat ik vandaag alweer kom werken.

Vanochtend heb ik lichtelijk spijt van mijn toezegging. Het was vannacht halfvier voor ik naar bed ging. Wat een heerlijke avond. Samen met Roos in de avondzon pasta eten bij Palma, daarna tot sluitingstijd op het terras bij King Arthur zitten praten. Bij mij thuis op het dakterras hebben we samen nog een fles rosé opgedronken, gekeken naar de vliegtuigen die uit allerlei richtingen naar Schiphol vlogen en daarna heb ik voor het eerst sinds Carmens dood seks gehad, op de kussens van de ligstoelen van het dakterras.

Het bed durfde ik niet aan.

ZES

Het werken werkt niet.

Elke dag ga ik met tegenzin. Ik heb helemaal geen zin om me druk te maken over hoe Holland Casino kan penetreren in de lucratieve markt van bedrijfsuitstapjes en groepsarrangementen. Of hoe we de dealers van Volkswagen ervan moeten overtuigen dat de Passat makkelijk kan concurreren met de BMW 3-serie, als ze er zelf maar in geloven.

'Frenk, ik wil een sabbatical.'

'Daar was ik al bang voor. Wat had je in gedachten?'

'Een eh... paar maanden?'

'Wanneer wil je stoppen?'

'Vandaag?'

'Doe maar,' zucht hij. 'Wat ga je doen?'

'Een beetje genieten. Luna, bootje, lezen, schrijven, Vondelpark, rust.'

'Ja, rouw kost tijd, jongen,' stelt Frenk plechtig.

'Zeg dat wel,' antwoord ik, terwijl ik alle zeilen moet bijzetten om treurig te kijken. Ik ben helemaal niet overmand door verdriet, ik smacht gewoon naar vrijheid, naar onbezorgdheid.

Mijn ergste periode van rouw was toen Carmen kanker had.

ZEVEN

Het voelt als de Summer of Love.

Iedereen houdt van elkaar. Carmens ziekbed en dood hebben ons onafscheidelijk gemaakt, we lijken net een stel dienstmaten die samen in Libanon hebben gezeten. Wij zijn De Nabestaanden.

Op maandagavond kook ik voor Frenk en Maud. Eigenlijk kan ik helemaal niet koken, maar het voelt goed om iets voor hen terug te doen. Ik doop ons om tot De Eetclub[4], een splinterbeweging van De Nabestaanden. De Eetclub behandelt de naweeën van de begrafenis. Bedankjes, nabestellingen van foto's, dat soort werk.

Op andere dagen kom ik vaak bij de Pilsvogel. Op vrijdag ga ik weer, net als vroeger, stappen met Ramon in de Bastille, op zaterdag is er altijd wel ergens een feest en de zondagavond is voor Roos. Dan bestellen we iets bij de Thai of we halen een pizza bij Quatro Stagione op het Jacob Obrechtplein en daarna gaan we lekker voor de tv hangen.

Roos hoort er eigenlijk gewoon bij. Carmens moeder weet weliswaar niet van haar bestaan, maar Frenk en Maud hebben haar geaccepteerd als lid van De Nabestaanden.

De band tussen De Nabestaanden wordt steeds hechter.

Maud gaat met Roos spinnen op de sportschool in het Olympisch Stadion. Carmens moeder gaat met Frenk, Maud en mij een avondje mee naar de Pilsvogel, waar ze als een heldin wordt onthaald door Natas en een aantal van haar vriendinnen. Op het eind van de avond moet ik haar toeterlampion de trap naar de logeerkamer op slepen.

Frenk blijkt het steeds beter met Roos te kunnen vinden. Ze zijn allebei gek op film en bezoeken iedere dinsdag samen de Sneak Preview in Kriterion. Maud en Frenk gaan samen een weekend naar

35

Barcelona. Maud gaat met Luna naar Artis. Ramon vergezelt Thomas naar een autobeurs in Brussel en Maud gaat met Anne naar een musical in de Jaarbeurshal. Zelf heb ik Thomas en Anne nog niet gezien na de begrafenis, maar Carmens moeder gaat regelmatig naar Maarssen. Dan neemt ze Luna mee, en als ze haar daarna thuisbrengt, gaan we met z'n drieën naar McDonald's of een pannenkoekenhuis.

Ik geniet. Voor het eerst in jaren is de tijd van mij.

Er zijn geen zeikende klanten, er is niemand die me in paniek belt dat ze ineens zo'n vreselijke pijn heeft. Het enige wat niet is veranderd, is dat ik vadertje én moedertje voor Luna speel, net als in Carmens laatste maanden, alleen frustreert het me nu niet meer.

Ik ga er prat op het thuis nu helemaal onder controle te hebben. Ik vertel iedereen dat het zo goed gaat met Luna. Ze is aanhankelijk, ze praat veel over Carmen, vraagt veel, maar ik kan nergens aan merken dat ze heel verdrietig is. Mama is dood, het is niet anders. Ik heb de indruk dat de duidelijkheid haar goed doet: mama is er niet meer, en papa is er helemaal voor haar.

Luna aankleden, ontbijt maken, Luna naar de crèche brengen, koken, voorlezen en in bed leggen: het zijn allemaal taken van papa, vind ik. De au pair gebruik ik als veredelde schoonmaakster en als babysit. Pas 's avonds, als Luna slaapt, ga ik op stap. Ik wil niet dat ze zich te veel aan de au pair gaat hechten. Over een paar maanden gaat die toch weer terug naar Tsjechië.

Dinsdag en donderdag zijn Papa & Luna-dagen, op die dagen mag Luna kiezen wat we gaan doen. Meestal gaan we varen in ons bootje of naar de speeltuin in het Vondelpark.

Maandag, woensdag en vrijdag zijn voor mezelf, dan zit Luna op de crèche, net als voor Carmens dood.

Soms pak ik op die dagen een oud fotoalbum, van mijn vakanties met Carmen, of van haar wereldreis, in het jaar voor ik haar leerde kennen. Ik weet nog hoe stoer ik het vond, zo'n wijf dat in haar eentje de hele wereld was rondgereisd. Vooral de foto's van Australië maakten indruk. Met een tentje in de *outback*, Carmen met haar heerlijke lijf tussen die spuuglelijke aboriginals.

Ik lees veel. Vooral alles wat met de dood te maken heeft. *I.M.*[5], *De kleine blonde dood*[6], *Turks fruit*[7], *Ik omhels je met duizend armen*[8]. En ik ben helemaal van de zweefmolenliteratuur. *De alchemist*[9] is mijn favoriet en van Frenk kreeg ik *Het Tibetaans Dodenboek*. Er is niet doorheen te komen, maar het staat wel goed op het terras.

Het voorjaar is on-Hollands goed. De hele dag zit ik in de zon op het terras van het Blauwe Theehuis of bij de Coffee Company in de Pijp te lezen en te schrijven. In *no time* zie ik eruit alsof ik vier weken op de Antillen heb gezeten.

Naast het vader/moederschap geeft het afmaken van Carmens dagboek voor Luna me de meeste voldoening. Elke keer als ik ergens over wil schrijven waar Carmen niet meer aan toe is gekomen, kan ik het niet nalaten om terug te bladeren en iets te lezen dat ze zelf nog geschreven heeft. Hoe zij mij leerde kennen en hoe we samen op stap gingen. Hoe we besloten een kindje te maken en haar laatste strip Marvelon ritueel in de Golf van Mexico spuugden. Onze trouwdag, met onze nummers, 'With A Girl Like You' en 'Love Is All Around' van The Troggs.

Carmens dagboekverhalen leiden steevast tot tranen, maar daar verlang ik gek genoeg naar. Dat is het voordeel van de twee kankerjaren. Carmen en ik hebben geleerd dat emotie net griep is. Verwaarloos hem en je krijgt 'm een tijdje later alsnog knalhard voor je kanis.

Daarom lees ik bijna iedere keer de laatste woorden die Luna ooit van haar zal lezen. Ze staan op een dubbelgevouwen A4'tje. Als ik het openvouw, slaan de in krantenkoplettercorps geprinte woorden me telkens weer in het gezicht.

Ik voel me het grooste deel van de dag bets goed, maar door de morfine word ik heel wazig, en

kan ik niet mer zo goed schirjven
en tuypen. De letters dansen op
het schrem en daar word ik zo
moe van, lieverd, dat ik nu weer
even moet stoppen. Strkas schijf
ik weer verder. Nu een tukkie
doen.
Xxx, mama

Ik weet het moment nog dat ze de woorden intypte, half liggend in
bed, drie kussens in haar rug. Ik voelde hoe verdrietig ze was dat ze
niet meer voor haar dochter kon schrijven en bood haar aan het over
te nemen. Ze schudde nee.

'Doe maar als ik er straks niet meer ben.'

Straks was drie dagen later.

ACHT

Natas heeft een strak T-shirt aan met BARBIE IS A SLUT erop. Het komt tot boven haar navelpiercing. Haar ogen zijn blauw opgemaakt en ze heeft een Kim Wilde-lok. De eighties zijn weer helemaal in en ik maak ze voor de tweede keer mee. Alleen kon ik toen, met dank aan mijn duikbril, geen meisjes krijgen die eruitzagen als Natas.

'Heb je liever dat ze bij Merk in Uitvoering niet weten dat we nu samen uit zijn?' vraagt ze op het terras bij de Pilsvogel.

'Dat ligt een beetje gevoelig, de begrafenis is net een maand geleden, dat snap je toch wel...'

'Maar we drinken toch alleen wat, schatje?' zegt ze. Ze zet haar bambi-ogen nog een standje zwoeler en neemt een slok van haar wodka-lime.

'En Roos?' vraagt ze pesterig. 'Weet die dat je vanavond met mij uit bent?'

'Roos?' reageer ik kriegel. 'Waarom zou ik verantwoording aan Roos moeten afleggen?'

'Zij was ook in de kerk, hè?'

Ik antwoord niet.

'Kom nou, Stijn, we weten toch allemaal hoe belangrijk Roos voor je is geweest toen Carmen nog leefde.'

'Wat wil je nou van me horen?' zeg ik fel. 'Roos is een vriendin. Niet míjn vriendin.'

Ze haalt haar schouders op.

'Ook goed,' antwoordt ze, pakt me bij mijn nek en zoent me vol op mijn bek, op het terras van de Pilsvogel. 'Ik vind het veel te gezellííí dat we hier zitten.'

'Inderdaad. Ander onderwerp.' Ik bestel nog een wodka-ijs en een wodka-lime.

Natas vertelt dat ze zoveel zin heeft in Het Feest, volgende week in Paradiso.

Het Feest, zo begreep ik van de barman van de Pilsvogel, is het Oud Hollandsch Acid Feest. Het klinkt als een haringparty, maar dat is slechts schijn.

Natas heeft alvast een fluorescerend lycra topje gekocht, bij Club Wearhouse. 'In de Spuistraat, weet je wel.'

Ik knik. Geen idee.

'Jij gaat toch zeker ook?' vraagt ze. 'Iedereen gaat.'

'Iedereen' is het vriendinnenclubje van Natas. Meiden die – als ik in de jaren tachtig een beetje mijn best had gedaan – stuk voor stuk mijn dochter hadden kunnen zijn. Het zijn hitsige jonge schapen met veel make-up op, die nauwelijks van elkaar zijn te onderscheiden. Het lijken wel klonen. Dolly I tot en met V. Ze praten hetzelfde, gillen hetzelfde, sms'en hetzelfde, kleden zich hetzelfde, maken zich hetzelfde op en spreken elkaar (en mij, sinds kort) allemaal aan met schatje of liefie. Gesprekken met de Dolly's gaan nergens over en dat bevalt me uitstekend. De eerste keren dat ik ze zag moest ik even wennen aan de doortastendheid van de meisjes, maar toen ik eenmaal doorhad dat me dat een hoop werk en gedraal bespaarde, liet ik het me welgevallen. Zo pakte Dolly I me bij de eerste kennismaking, 's nachts om twee uur in Club NL, spontaan bij mijn ballen en zei dat ze dat de snelste manier vond om kennis te maken. Ik begon de conventies in het groepje al aardig door te krijgen en zette onze kennismaking kracht bij met een ferme tongzoen. En omdat de Dolly's elkaar alles vertellen, was alles wat ik die nacht met haar in bed uitvrat, de dag erna publiekelijk bekend. *Privé* mocht willen dat ze zulke reporters had als de Dolly's.

Om zo snel te communiceren bedienen de Dolly's zich ook verbaal van een soort sms-taal. Alle woorden worden afgekort. De Pilsvogel is de Pils, The Chocolat Bar is de Sjok, Odessa, een boot aan de Oostelijke Handelskade, is de Boot en het Oud Hollandsch Acid Feest heet simpelweg Het Feest.

'Ik ben vergeten kaarten te kopen,' lieg ik.

'Dan regel ik dat toch voor je, lieverd! Hoeveel wil je er, dan bel ik even.' Ze heeft haar mobieltje met Hello Kitty-frontje al uit haar

Pippi Langkous-tasje gehaald en toetst een nummer in.

'Twee. Ik denk dat Ramon ook wel wil.'

Ze steekt een sigaret op en wacht tot de telefoon wordt opgenomen.

'Roos niet?' vraagt ze langs haar neus weg.

'Nee,' zeg ik, mijn wodkaglas leegdrinkend, 'die houdt geloof ik niet zo van house.'

Ze steekt haar wijsvinger op. Beet.

'Hééé schat! Met míjhhhh!'

'...'

'Oeoeoeoeohhh wat klinkt het gezeèèllííí dáaár. Waar zit je?'

'...'

'Spannùùnd!!! Is die jongen met dat geblondeerde haar van zaterdag er ook?' Ze neemt een trek van haar sigaret en knipoogt naar me. Ik knipoog schaapachtig terug.

'...'

'Oe-oe-oe... Sloeríííééé!' giert ze. Twee vrouwen aan een tafeltje naast me kijken ons aan. Natas gooit haar volume nog iets omhoog. Ik doe of ik me niet geneer en neem gauw een slok.

'Hé, schatje, even vergaderen over Het Feest.'

'...'

'Een fluorescerend topje. En dan dat paarse hoerenrokje eronder.'

'...'

'O, leuk! En daaronder dat witte korte broekje van je?'

'...'

'Nou, zo ver komen ze er toch niet onderuit? Nee, dat kan je best hebben, joh.'

'...'

'Wat zegt-ie?'

'...'

'Hihihi, ja hoor, dat mag je hém best geven, hoor. Hoe heet-ie?' Ze maakt een zoenbeweging met haar lippen naar me en glijdt met haar hand over mijn arm.

'...'

'Doe 'm maar vast de groetjes. En zeg 'm maar dat ik vrijdag in de Sjok zit.'

'...'

'Laat je wel wat van 'm over voor mij, lieverd? Hé, morgen vergaderen we verder. Ik ga hangen, want ik zit hier met mijn baas. Stijn, je weet wel, die ene van wie de vrouw pas dood is.'

'...'

Ik twijfel of ik niet even naar de wc moet. Ik maak aanstalten, maar Natas pakt me bij mijn nek.

'Hahaha... Ik zal het zeggen. Maar ik ben nog maar stagiaire en ik geloof dat ik mijn ovulatiegesprek pas aan het eind krijg, hoor.'

'...'

'Doeidoei!'

Ik tik haar aan. 'Eh... kaartjes?' fluister ik.

'Wacht effe, wacht effe, Stijn zegt iets tegen me... Welke kaartjes, schat?'

'Voor dat Oud Hollandsch Essent Feest waar je het over had.'

'O ja, o, wat ben ik toch een muts. Waar ik eigenlijk voor belde, hihihi: kun jij nog twee kaartjes voor Het Feest regelen?'

'...'

'Ja. Voor mijn baas en een vriend van 'm.'

'...'

'Oké, schat. Dank je. Dikke kus. Laterrrr!'

Ze hangt op. 'Waar waren we gebleven?'

Ik haal mijn schouders op en kijk haar aan alsof ik Jaap Stam zie balletdansen.

Ze schiet weer in de lach, buigt zich over tafel heen, trekt me naar zich toe en steekt haar tong diep in mijn mond. Ik proef lime.

'Ik heb zin in je vanavond,' fluistert ze hees.

Er schiet me niets anders te binnen dan me vanavond te laven aan de doortastendheid waarmee Natas dit soort dingen aanpakt.

Toch anders dan in de eighties.

NEGEN

'Papa!'

'...'

'Pápa!!!'

Jezus... Pfff... Nu al? Het lijkt of ik net in bed lig.

'Pááápááá!!!'

Wat klinkt dat afschuwelijk dichtbij. En wat heb ik een afschuwe-lijke pijn in mijn kop. Al het vocht in mijn hoofd lijkt vervangen door wodka. Mijn hemel.

Ik hoor snikken. Shit.

Ik kijk naast me. Huh? O ja. Natas. Ook dat nog. Die moet hier weg.

'Tas!' fluister ik. Ik schud haar wakker.

'Huh?'

'Luna is wakker!'

'O... En dus?' lacht ze gapend.

'En dus moet jij weg,' sis ik haar toe. 'Ik wil niet dat Luna iemand in mijn bed ziet.'

'Pááápááá!!!'

'Wacht nog heel even, schatje!' roep ik. 'Papa komt je zo halen.'

'Jij ook even wachten,' commandeer ik Natas. 'Pak je kleren maar vast en sluip zo meteen achter me langs de trap af.'

Ik berg mijn ochtenderectie snel op in een boxershort, loop de slaapkamer uit en bots op Luna.

Ze staat te huilen. 'Waar bleef je nou?'

'Papa sliep heel vast, schatje,' antwoord ik en geef haar een knuf-fel, met mijn armen om haar heen. Ze drukt haar hoofdje tegen mijn

43

borst aan. Achter me hoor ik Natas zachtjes naar beneden lopen.

'Maar wat is er dan, schatje.'

'Bee... bie... Buhuhu... nie.'

'Wat is er met Baby Bunny?' Moet ze me daarvoor wakker maken? Hoe laat is het eigenlijk?

Luna trekt me aan mijn hand haar slaapkamer in.

Daar struikel ik zowat over de legerschoenen van een dik meisje met pukkels, punkhaar en een piercing door haar bovenlip. Ik word meteen misselijk.

'Haaaay,' gaapt de au pair. Ze zit in haar eeuwige zwarte, oversized gothic T-shirt en een baggy zwarte broek, zo een die je alleen nog maar op het Waterlooplein kunt scoren, op het speelkleed, omringd door de volledige collectie poppen en knuffels die Luna de afgelopen maanden heeft opgebouwd. Iedere volwassene die op bezoek kwam voelde scheuten van pijn in zijn hart bij de gedachte dat Luna moest opgroeien zonder moederliefde. Het is goed dat ons huis belachelijk groot is, anders had ik een extra verdieping moeten laten bouwen voor alle troostpoppen.

Eend Willemijn zit in het midden, en is dus vandaag jarig, zie ik met mijn getraind vaderoog. Ik kan het spel inmiddels dromen. Willemijn is omringd door Furby, Tinky Winky, Kleine Bas, Grote Bas en het antroposofische popje van Anne dat nog geen naam heeft, voor zover ik weet. Het is een dolle boel op het speelkleed. Baby Bunny ontbreekt, zie ik.

Luna begint weer te snikken. Ik zie haar blik richting de afschuwwekkende billen van de au pair gaan. Er steken twee plastic beentjes onderuit.

'*Why she don't want play no more?*' vraag de au pair verbolgen. Het kind spreekt nog altijd amper een woord Nederlands. Zelfs Luna's woordenschat gaat boven haar Tsjechische pet.

'*Because you are sitting on Baby Bunny,*' antwoord ik.

'O...' Ze trekt de arme pop onder haar kont vandaan. Een van zijn beentjes is geknakt. Luna's onderlip begint weer te trillen.

'*Haaay, Baby Bunny, how are you?*'

Ik zou er een moord voor doen als die pop nu ineens 'wat denk je zelf, nu jij net met je dikke reet op me hebt gezeten' zou antwoorden, maar Baby Bunny geeft geen sjoege.

Luna begint te krijsen en trekt de pop woedend uit de vlezige handen van de au pair.

'*Come on, it's just a doll,*' lacht de au pair.

'*Baby Bunny was a present from her mother...*' zeg ik. Mijn ogen spuwen vuur.

Ik til Luna op. Oef, dat is geen goed plan, na deze nacht. Het duizelt voor mijn ogen. Volgende keer toch iets minder drinken. Luna kruipt zowat in me. 'We zouden toch wat leuks gaan doen vandaag, samen...' fluistert ze in mijn oor.

FUCK! Ze heeft gelijk. Ik kijk op de wekker in Luna's kamer.

10.49 uur.

10.49 uur! O, verdomme. Om elf uur begint het al.

Het zweet breekt me uit.

'*Eh... Can you make a boterham for Luna...*' stamel ik tegen de au pair. '*I have to hurry...*'

Een minuut later zit ik met Luna, mijn kater en twee boterhammen met pindakaas op de fiets naar de proefles kleuterballet.

Terwijl ik hevig zwetend het bruggetje over de Prinsengracht op fiets, vertel ik Luna waar we naartoe gaan. Ze is niet direct door het dolle heen.

Als ik haar hijgend uitleg dat ballet net zoiets is als hoe die elfjes op de waterlelies in de Efteling dansen en dat ik gisteren bij Hennes & Mauritz ('O ja, waar mama en ik ook weleens kleertjes voor mij kochten') een roze balletpakje voor haar heb uitgezocht, wordt ze een beetje enthousiast. Gelukkig, want als het aan mij ligt, hoeft dat gehops vandaag helemaal niet.

Zodra ik de kleedkamer binnenkom word ik toch een beetje vrolijk. Mijn kater gaat er spontaan even van in zijn hok. In de kleedkamer van de balletschool zijn er, naast wat kleuters, alleen vrouwen. Moeders. En niet van die het-is-een-doordeweekse-donderdag-dus-waarom-zou-ik-make-up-op-doenmoeders, nee, dit zijn Amsterdamse Moeders. Als me verteld zou worden dat er hier een fotoshoot van de nieuwe zomercollectie van Puma of Diesel zou worden gehouden, zou ik het zo geloven. Alle kleuters hebben er eentje bij zich, zo'n leuke *Tatum & Jennifer*-moeder. Ik ben de enige man. Dit zijn de betere secundaire arbeidsvoorwaarden van het weduwnaarschap. Ja, ik ga dat kleuterballet toch wel leuk vinden.

'Môge dames,' zeg ik, waarbij ik vermijd te dichtbij te komen. Ik heb een kegel van hier tot de Pilsvogel.

Ik begin Luna zo routineus mogelijk uit te kleden en in haar roze balletpakje te helpen. Luna is wat verlegen, merk ik. De andere kinderen kennen elkaar allemaal al en dat maakt een kleuter er niet zekerder op. Da's jammer, want het zou veel cooler staan als Luna hier de zelfbewuste *seen-it-all-done-it-all*-kleuter zou uithangen.

Ik stel Luna voor aan de balletlerares. Ze staan er goed bij in haar balletpakje, ik moet alle zeilen bijzetten om mijn blik op ooghoogte te houden.

Ze vertelt me dat de ouders mee de zaal in mogen, als ze tenminste hun schoenen uitdoen. Dat ben ik gewend van de crèche, dus die gêne heb ik al jaren geleden overwonnen.

Het is een heuse balletzaal, zo een die je vroeger bij *Fame* op tv zag. Met een spiegelwand over de volle breedte van de zaal.

De lerares begint uit te leggen wat ze gaan doen. Het wordt een wolkendans, zegt ze, en ze tilt haar armen boven haar hoofd. Alle kinderen doen haar enthousiast na.

Behalve Luna.

Dat is jammer, want als ouder, zelfs als man, hangt je imago voor een groot deel af van het leukgehalte van je kind. Luna trekt zich geen fuck van mij aan. Ze krijgt door de balletlerares uitgelegd dat het echt veel leuker is als ze net als de andere kleuters gewoon meedoet, maar Luna weigert dienst.

'Ik wil niet dansen,' pruilt ze. Dit wordt janken. De aandacht van de andere moeders concentreert zich nu op mijn finesses als ouder. Hoe gaat deze papa deze crisis bezweren?

Ik sta voorzichtig op, laat geen spoor van irritatie blijken en begeleid Luna met zachte hand en bonkende koppijn terug naar het groepje. Ik voel dat ze aan mijn hand trekt in tegengestelde richting.

'Zal papa meedansen, dan?' hoor ik mezelf vragen. De lerares knikt. Goed idee. Ik mag meedoen. Kut. Luna kijkt me aan. Acht moeders ook. Nu wordt het menens. Ik ken mijn dochter goed genoeg om te weten dat als ik nu doe alsof het de normaalste zaak van de wereld is, dat ze dan aarzelend gaat volgen. En dat ik als ik nu ook maar enigszins uitstraal dat ik de wolkendans geen natuurlijke activiteit voor een man van zevenendertig vind, zij ook afhaakt. Kater of geen kater, ik besluit ervoor te gaan. Stijn goes Wolkewietje.

'Kom,' zeg ik op rustige, pedagogisch uitermate verantwoorde toon. Ik tover een glimlach op mijn gezicht. 'Doe maar net als papa.' En daar gaat papa. Papa kijkt naar de lerares. Die geeft ons de opdracht om op de muziek van de pianist op onze tenen te lopen en tegelijkertijd met onze handen in een O boven ons hoofd een wolk uit te beelden. En we moeten er bij blazen, zegt de lerares. 'Zoals de wind doet.' Die vatte ik al. Uitkijken dat er geen boer bij ontsnapt. Uit mijn ooghoek zie ik mezelf in de spiegelwand. Het ziet er niet cool uit. En ik zie wit.

Het groepje kleuters plus papa nadert de *Tatum & Jennifer*-moeders in de hoek. Ik zie ze pret hebben. Ik hoor zacht gegiebel. Ik begin te zweten. Snel bedenk ik hoe ik moet kijken om niet volledig het gevoel te hebben voor lul te lopen. Moet ik een gekke bek trekken? Knipogen? Schouders ophalen? Luna de schuld geven? Angstvallig elk oogcontact vermijden? Of juist zoekend rondkijken, zoals ik altijd doe als ik langs een terras loop waar iedereen je aankijkt? Vlak voor ik, op mijn tenen, mijn armen nog altijd in de O boven mijn hoofd, het groepje nader, neem ik gauw de afslag naar de wc-deur.

Als ik terugkom is Luna weer gestopt met de wolkendans. Ik merk dat de lerares haar geduld aan het verliezen is. Ze verheft haar stem. Luna's lip begint te trillen. Ze kijkt mijn kant op. Super! Weg hier. Ik gebaar dat ze mijn kant op moet komen, maak een verontschuldigend gebaar naar de lerares, zwaai nog even naar de nog immer giechelende moeders en loop snel met Luna de balletzaal uit.

'Zullen we naar de speeltuin in het Vondelpark gaan?' vraag ik, als we buitenstaan.

Luna knikt. 'Eendjes voeren.'

Ik zet mijn fiets tegen het hek van het Melkhuisje. Er hangt een poster. De Tröckener Kecks geven zondag een concert in het Openlucht-theater. Hé, dat is misschien een goede gelegenheid om Thomas en Anne weer eens te zien. Dan hoeven we ook niet zoveel te praten. Behalve het gemis van Carmen delen we niet zo gek veel met elkaar en daarom stond op visite gaan in Maarssen de afgelopen weken niet hoog op mijn prioriteitenlijstje. Toch heb ik wel de behoefte om de band met hen levend te houden. Het heeft er denk ik mee te maken dat zij deel uitmaakten van het leven dat ik met Carmen leidde. Niet dat we elkaar zo vaak zagen de laatste jaren. Mijn band met Thomas is in de loop der jaren steeds minder geworden. Het waren Anne en Carmen die de boel bij elkaar hielden. Misschien wil ik het daarom niet laten verwateren. Een onbewust eerbetoon aan Carmen, aan de energie die zij altijd in de vriendschap stak.

En zo kan ik meteen Frenk geruststellen. Hij liet maandag bij De Eetclub tussen neus en lippen door merken dat hij vreest dat ik mezelf verlies in het clubje van Natas en de Dolly's en dat ik mijn oude vriendschappen verwaarloos. Onzin natuurlijk, want ik zie hem en Maud elke maandag, maar toch.

Ja. Straks even een mailtje sturen naar Thomas.

Na een uur van glijbaan naar schommel naar klimrek naar wipkip naar zandbak naar glijbaan naar schommel naar klimrek naar wipkip naar zandbak te hebben gelopen is mijn kater nagenoeg weggelucht. We gaan de cafetaria binnen. Ik neem een cola, Luna wil een Schatkistijsje. Da's nieuw van Ola. Een plastic blauw kistje met ijs erin en een dubbele bodem. Als je die eruit frut, heb je naast plakkerige aardbeienvingers ook een poppetje te pakken.

'Kijk, zo is het net mama in haar kist,' zegt Luna opgewekt als ze het poppetje ziet liggen. Ik kan weer lachen. We gaan op een bankje zitten. Luna's benen wiebelen op en neer, terwijl ze van haar ijsje likt. Binnen de kortste keren zit ze helemaal onder. Ik zoek in mijn zak naar iets om Luna's handen mee schoon te maken en grijp in de overgebleven boterham met pindakaas.

'Zullen we eendjes gaan voeren?' vraag ik Luna, terwijl ik mijn vingers schoonlik.

De eendjes komen met hele trossen tegelijk aanzwemmen, -vliegen en -lopen. Luna staat te springen van plezier als ik haar de stukjes pindakaasbrood aangeef. Wat nou kleuterballet? Wat doe ik allemaal moeilijk? Gewoon samen eendjes voeren.

ELF

Van: M.vanduin@yahoo.com
Verzonden: 26 juni 2001
Aan: Stijnvandiepen@hotmail.com

Dag Stijn,

Ik weet niet of je nog weet wie ik ben, maar ik zat bij Carmen in de praat-
groep over borstkanker.

Iemand uit de Moeflon dus. Geen idee wie het is.

Ik was niet op de begrafenis, want daar kan ik niet goed tegen, dat snap
je misschien wel. Carmen heeft vast weleens over me verteld, we waren in
het groepje echt twee handen op één buik.

De vrouw naar wie Carmen het meest toe trok heette volgens mij
Toos. Maar die kan het niet zijn, want die is dood. De helft van de
Moeflon is trouwens al dood.

Waar ik eigenlijk voor mail: ik zou het heel fijn vinden als ik een keer bij je
langs mag komen. Liefst overdag, als Luna er ook is. Je begrijpt vast wel
dat ik graag met eigen ogen wil zien dat de opvoeding goed verloopt nu
Carmen er niet meer is? ;)

Zeg maar wanneer het jou uitkomt.

Veel liefs,
Marieke van Duin

Dat zal ik jou eens zeggen, Marieke van Duin. Dat komt me nooit uit.
Rot effe lekker op, zeg. Who's next?

Van: Neildiamondfan@tiscali.nl
Verzonden: 27 juni 2001
Aan: Stijnvandiepen@hotmail.com

Ha lief rotjoch van me,

Hoe gaat het, jongen? Met mij even niet goed. De eerste weken gingen
nog wel, maar de laatste dagen loop ik alleen maar te grienen.
Hoe is het met mijn kleinkind? Laat je Luna niet te veel over aan die
vreemde o pair van jullie? Die vertrouw ik voor geen cent. Straks gaat ze
nog op haar zitten.

Alle liefs,
je schoonmoeder

Zucht. De volgende.

Van: Anne_en_thomas_en_de_kinderen@chello.nl
Verzonden: 27 juni 2001
Aan: Stijnvandiepen@hotmail.com
Re: Kecks in het Vondelpark

Hoi Stijn!

Wat een leuk idee van je om samen naar de Kecks te gaan! We zijn van
de partij! Hoe laat begint het zondag? Zullen we eerst even langs jou
komen?
Het is fijn om iets van je te horen. Ik heb je wel proberen te bellen, maar

ik kreeg steeds je voicemail. Ik zei gisteren nog tegen Thomas: daar horen we nooit meer wat van, die Stijn gaat nu vast helemaal op in het Amsterdamse.

Met ons gaat het met ups en downs. Ik mis Carmen vreselijk. Thomas praat er niet zoveel over. En jij? Je zult het wel heel zwaar hebben. Ik hoorde van Frenk dat je gestopt bent met werken? Lukt dat allemaal wel, met de financiën en zo? En hoe gaat het met Luna??? Fijn om haar zondag weer even te zien. Ik denk dat ik je af en toe nog wel wat m.a.'tjes (= moederlijke adviesjes, leuk hè?) kan geven.

Nou, tot zondag!
Liefs, Anne

M.a.'tjes. Ja, heel leuk. Godallemachtig. Wat denken jullie nou toch allemaal? Natuurlijk let ik op mijn dochter, verdomme. Als het aan jullie ligt, wordt het kind doodgepamperd. Luna mag op schoot, Luna krijgt een ijsje uit de vriezer, Luna wordt drie kwartier lang voorgelezen, Luna wordt verteld dat ze best nog even mag opblijven terwijl papa net heeft gezegd dat ze naar bed moet.

Papa krijgt te horen hoe hij Luna aan het eten moet proberen te krijgen als ze mekkert dat de boontjes niet lekker zijn, papa krijgt te horen dat hij misschien toch maar even met Luna naar de dokter moet als ze twee keer kucht, papa krijgt te horen dat het beter voor Luna zou zijn als ze meer met andere kindjes speelt, papa krijgt te horen dat het niet goed is voor Luna als hij haar bij het naar bed gaan vertelt dat hij straks nog even een biertje gaat drinken en dat de au pair oppast. En nu krijgt papa ook nog eens van een stelletje surrogaatmoeders te horen dat hij het allemaal niet goed zou doen?!?

Wat denken jullie wel? Dat ik in die twee kankerjaren, na al die keren dat Carmen met tranen in haar ogen moest bekennen dat ze te ziek, zwak en misselijk was om Luna te verzorgen, nog steeds niet weet hoe ik Luna in bad en bed moet doen, hoe ik haar moet voorlezen, hoe ik haar teennagels moet knippen, haar brood, fruit, vlees, groenten, pasta, aardappels, melk en pap moet geven en haar luier moet verschonen? Wie dacht je dat dit allemaal deed toen Carmen ziek was? *Fucking* Kabouter Plop en zijn vrienden?!?

Is het verdomme nou echt nooit in jullie botte koppen opgekomen dat deze papa in die twee kankerjaren al vaker naar kinderkappers, vriendinnetjes, crèches, geitenboerderijen, speeltuinen, sinterklaasmiddagen, speelgoed-, kleding-, en schoenenwinkels, consultatiebureaus, huisartsen en meer van die ellende is geweest dan al jullie mannen, de vaders van jullie eigen kinderen, bij elkaar?

En trouwens: als ik nou eens geen alleenstaande vader was geweest maar een alleenstaande moeder, zouden jullie dan ook het lef hebben gehad om je met Luna's opvoeding te bemoeien? Nou?!

Papa vindt dat Luna moet weten waar ze aan toe is, nu ze geen mama meer heeft: er is er maar één de baas in huis en dat is papa en die papa wordt dood- en doodziek van al die bemoeizieke kutwijven die hem onophoudelijk van advies dienen inzake Luna's opvoeding.

Nee, Luna heeft geen mama meer, maar Luna heeft wel een papa, bij wie ze altijd terechtkan, haar hele leven lang, een papa die zielsveel van haar houdt en zij van hem, dus rot op met al je betweterige adviezen, bemoei je met je eigen kinderen en als je die niet hebt, maak er dan zelf een paar, maar laat mij en mijn dochter in vadersnaam met rust!!!

TWAALF

'Heb jij een föhn in huis, schatje?'

Geeuw. 'Heb ik wát in huis?'

'Een föhn. Voor je haar.'

'Nee, natuurlijk niet.' Ik rek me uit. 'Of wacht effe... Er ligt er geloof ik eentje in de badkamer. Gebruik die maar.'

Roos heeft de hare hier gistermiddag laten liggen, want ze slaapt hier vanavond toch weer. Zo meteen goed opletten dat deze Dolly al haar spullen meeneemt, ik heb geen zin in gezeik met Roos.

Het schaap komt in haar nakie weer de slaapkamer in lopen. Ze heeft de föhn gevonden.

'Godallemachtig,' zeg ik, 'mijn hoofd voelt alsof ik een hersentumor heb.'

'Ja, dat is wel het nadeel van dat spul,' lacht Dolly. Ze kijkt me via de spiegel aan, terwijl ze haar haren staat te föhnen. Wat een sloper. Drieëntwintig. Dat ik dit nog mag meemaken op mijn leeftijd.

Euforisch was ik vannacht.

Dat ik daar niet eerder op was gekomen. Alsof het spul mijn hele leven op de reservebank heeft gezeten, geduldig wachtend tot het in mocht vallen. Tot coach Natasja gisteravond op het Oud Hollandsch Acid Feest het bordje met de wissel omhooghield.

Xtc eruit, coke erin.

Een aanvallende middenvelder eruit voor een diepe spits.

Natuurlijk liet ik niet merken dat ik nerveus was toen ik in de hoek op het balkon mijn eerste snuif nam.

'En, hoe voelt het?' vroeg Natas, met pretoogjes een kwartier later.

'Alsof mijn hersenen klaarkomen,' antwoordde ik verbijsterd.

'Wacht maar tot je straks echt klaarkomt,' fluisterde Dolly 1 schor in mijn oor.

Ze had gelijk. Het was seks van een andere planeet. Ze vraten me op. En elkaar. En ik hen. Een supertrio.

Drie uur later lag ik nog naar het plafond te staren. Ik weet nog dat ik het twaalf uur heb zien worden op de wekkerradio. Als ik twee uur heb geslapen is het veel.

Vanuit het bed kijk ik naar haar lichaam. Ondanks mijn hoofdpijn word ik wéér apegeil. Wat een billen heeft dat kind...

Dolly ziet me kijken en schudt lachend haar hoofd. 'Nee nee, schatje. Ik ga zo. Tas is ook al weg... En jij moet toch ook zo gaan?'

'Hoe laat is het dan?' gaap ik.

'Kwart voor drie.'

'O.' De Kecks beginnen geloof ik om vier uur.

'Je au pair zei trouwens...'

'Mijn au pair heeft jou gezien?'

'Ja. Die kwam ik vanochtend tegen toen ik naar de wc ging.'

Welja. 'En Luna?'

'Wie is Luna?'

'Mijn dochter, schat.'

'Ja. Die heeft me ook gezien. Schattig kind trouwens.'

'Vond ze het eh... vreemd dat jij hier rondliep?'

'Dat weet ik niet. Ik heb niet zoveel verstand van kinderen. Maar ze kent Tas toch?'

'Luna heeft Natas ook gezien?'

'Ja?'

'Jezus...'

Ze kijkt me niet-begrijpend aan en haalt haar schouders op. 'Ik moest dus van je au pair doorgeven dat die vrienden waar je mee af had gesproken... Hoe heten ze ook alweer...'

'Thomas en Anne.'

'Ja. Dat Luna al met Jonas en Anna naar het Vondelpark is.'

Wel makkelijk. Scheelt weer tijd. Op de grond in de hoek van de slaapkamer zie ik de broek van mijn Joop!-pak liggen. Ik zou het op

feesten dragen, had ik Carmen beloofd. Heb ik in ieder geval ergens
woord over gehouden. Veel vaker zal ik het niet aankunnen, want
er zit een wijnvlek in het jasje en de broekspijpen zitten tot aan de
knieën onder het slijk. Ik maak mijn zakken leeg. Twee verfrommel-
de briefjes van honderd en een pakje. Hm. Ik dacht dat er meer in
zat. Gelukkig heb ik mijn gsm nog. Altijd een meevaller na dit soort
avonden. Eens kijken. Twee oproepen gemist, drie sms'jes. Wat zijn
we populair. De eerste oproep was van Thomas, de tweede van Roos.
Alledrie de sms'jes ook. Shit. Ik had toch pas voor vanavond met haar
afgesproken?

> Kreeg je niet te pakken. Heb al eerder tijd. Het
> is terrasweer.

> Ik zit er al... Witbier en Fristi? Kecks spelen
> vanmiddag in V'park, wist je dat?

> Waar ben je nou? :-(

Ik gebaar naar de Dolly dat ze even de föhn uit moet zetten en bel
Roos.
    'Hé... ja, ik word net wakker en ik zie nu...'
    '...'
    'Even een biertje gedronken en dat liep wat uit de hand.'
    '...'
    'Met Ramon.'
    De Dolly staat met een hand voor haar mond te lachen en steekt
vermanend een vinger op.
    'Ja. Leuk. Even douchen en dan kom ik eraan. Tien minuten.'
    '...'
    Ik hang op.
    'Ohhohh, Stijn,' proest de Dolly. 'Is dat dat meisje van die föhn?'
    'Ja.' Ik begin het beddengoed af te halen. 'Wil je even helpen mis-
schien?'

Ze kleedt zich aan en ontdoet de kussens van hun slopen. 'Wie is dat meisje dan? Waarom lieg je tegen haar? Iedereen weet toch wat jij allemaal uitvreet?'

Ik haal mijn schouders op.

Ze schudt haar hoofd. 'Zo,' zegt ze en geeft me de kussenslopen aan. 'Ik moet gaan.' Ze kust me op mijn mond. 'Natas heeft nog een paar grammetjes pretsuiker van je geleend, moest ik doorgeven. O, en ik zou je tanden maar poetsen, voor je je meisje zo meteen ziet. En Jonas en Anna.'

'Thomas en Anne. En het is niet míjn meisje.'

'En hem zou ik ook maar even wassen voor je haar ziet.' Ze geeft een klopje op mijn slappe lul. 'Je ruikt naar hoeren.'

'Hoeren?' vraag ik verbaasd.

'Ja. Zo noemde je ons vannacht.' Ik proef enig misnoegen.

'Geeft niet,' gaat ze door, 'maar de grootste hoer van Amsterdam ben jij, Stijn.'

'Zo... Uitgeslapen?' vraagt Roos schamper. Ze ziet er heerlijk uit in haar zomerjurkje.

'Ja. Beetje kater. Sorry dat ik wat later ben.' Ik kus haar, mijn lippen angstvallig dichthoudend. Mijn hand glijdt over de dunne stof over haar billen. Zo te voelen die blauwe string. Ze duwt mijn hand weg.

'Je witbier is lauw geworden.' Ze kijkt om zich heen en wijst op een flesje Fristi. 'Is Luna er niet bij?'

'Daar wilde ik het net even over hebben. Die is al bij Thomas en Anne.'

'Wie zijn Thomas en Anne?'

'Vrienden van me, daar heb ik voor vanmiddag mee afgesproken. Had ik dat niet verteld?'

'Nee.'

'O. Nou ja. Afijn, Thomas en Anne zijn dus al in het Openluchttheater, met Luna.'

'En dus?'

'Dus ga ik daar zo meteen heen en dan eh...'

'Blijf ik zeker hier zitten tot jij klaar bent bij Thomas en Anne.'

'Nou, nee, jij mag ook wel mee, maar eh... het moet misschien een beetje minder eh... stellerig lijken, snap je?'

'Nee.'

'Kijk, als jij nou zo meteen nog heel eventjes hier blijft, of even een rondje loopt, en dat je dan daarna daarheen komt, is dat een idee?'

'Gezellig,' bijt ze me toe. 'Ik bestond voor Carmens dood ook al niet, dus er verandert eigenlijk niks, hè?'

VEERTIEN

De Beer van Maarssen staat een Cornetto te eten.

Hij heeft weer een van zijn onafscheidelijke gestreepte polo's aan. En een korte broek. Ook Anne valt enigszins uit de toon bij het alternatief-hippe volk om hen heen. Ze draagt een T-shirt waarvan ik niet zou weten waar je die in Amsterdam kan kopen. In Maarssen zal het vast geen probleem zijn.

Het is 28 graden, zie ik op de thermometer aan de zijkant van de Blikkenbar. Niks laten merken. Die wodkakater van vorige week is niks vergeleken bij dit monster. Het zal zo wel beter gaan. Ik ben zojuist even naar de wc-container bij het Openluchttheater gesneakt voor een beetje Witte Motor. Moet kunnen voor een keer.

Luna ziet me als eerste.

'Papa!!!'

'Zonnetje!'

Ze springt in mijn nek, slaat haar armen om me heen en gaat met haar hele gewicht aan mijn nek hangen. Au. Hoofd. Duizelig.

Ik lach en knuffel haar uitgebreid. Uit mijn ooghoeken zie ik Anne naar ons kijken. Vast een mooi vader-dochterbeeld. Even vasthouden nog, ondanks mijn kater. Zo. Ik zet Luna neer, spreid mijn armen en tover mijn breedste welkomstgrijns te voorschijn.

'Stijnemans!' roept Thomas. Hij omhelst me en slaat me hard op mijn schouders.

'Hé dikke! Fijn je te zien, man.'

'Hoi Stijn,' zegt Anne glimlachend, als ik me heb losgewurmd. Ze kust me drie keer. Niet op mijn mond, niet op mijn mond. 'Luna vroeg zich al af waar je bleef.'

'Ha meid, je ziet er goed uit. Luna, wil jij een ijsje van papa?' Zie je, het spul begint al te werken. Ik word weer wat scherper.

'Dat heeft ze net gehad.' Anne aait over Luna's hoofd. Ze vertelt dat ze mijn dochter net maar even heeft ingesmeerd met zonnebrandolie. Ze laat een tube zien.

'Van de Hema.'

Dat zie ik.

'Kijk maar wat je ermee doet,' vertelt ze, 'maar hij is deze week in de aanbieding. Gratis m.a.'tje.' Ze geeft me een knipoog.

Er klinkt gejuich en gefluit vanaf de tribunes. Rick de Leeuw komt op. Anne zegt dat ze, voor ze bij mij aan de deur stonden, nog even naar Zorgvlied zijn gegaan en dat Carmens graf er mooi bij lag.

Ik ga op mijn tenen staan. De Kecks gooien meteen de beuk erin.

'Ik was van plan om morgen even te gaan,' roep ik, over het lawaai heen.

Anne probeert nog wat te zeggen, maar ik gebaar dat ik haar niet meer kan verstaan.

Thomas brult luidkeels de tekst van het openingsnummer mee.

'Ik ga uit... uit elke nacht... elke nacht de stad in... elke nacht tot 's morgens vroeg... en ik drink... drink elke nacht... drink elke nacht te veel om jou... te veel maar nooit genoeg... want ik wil meer meer meer... meer dan ik kan hebben... meer meer, meer... meer dan ik kan hebben...'

Hij beweegt zijn imposante bovenlijf driftig heen en weer zoals je dat nog weleens op archiefbeelden van *Countdown live* ziet. Zijn kalende schedel glanst van het zweet.

Het publiek juicht als het nummer voorbij is. Thomas fluit op zijn vingers. Zijn polo is nu al even doorweekt als het roze shirt van Rick de Leeuw. Anne vraagt hoe het met me gaat.

'Goed!' zeg ik iets te abrupt. Ze trekt een wenkbrauw op.

'Sshhhtt,' grijpt Thomas in. 'Dit is een mooi nummer.'

Rick zingt ingetogen, met zijn ogen dicht.

'*Ik denk nooit meer aan jou... Als ik 's ochtends wakker word... naast een onbekende vrouw... ik denk nooit meer aan jou.*' Ik slik even. '*Als ik de kroeg binnenloop waar wij vroeger altijd kwamen denk ik nooit meer aan jou...*' Anne kijkt me aan en slaat een arm om me heen. Ik pak haar bij haar middel. Ik voel tranen opkomen. '*Nee, ik denk nooit meer aan jou...*' Anne wrijft met haar hand over mijn rug. '*Nooit meer aan jou... nee, ik denk nooit meer... nooit meer... nooit meer aan jou.*' De tranen lopen over mijn wangen. Anne kust me op mijn wang. Thomas staat er onbeholpen bij.

'Zullen we wat naar voren gaan?' roept hij, als het nummer afgelopen is.

Ik veeg mijn tranen weg en schud mijn hoofd. 'Een vriendin van me komt waarschijnlijk ook nog hierheen,' zeg ik, zo achteloos mogelijk.

'O, gezellig,' zegt Anne. 'Ken ik haar? Iemand die we op de begrafenis hebben gezien?'

Ik denk koortsachtig na. Stel dat ze Roos wél hebben gezien en haar zo meteen herkennen. Ik til Luna op en zet haar in mijn nek, om tijd te winnen.

Thomas is me voor. 'Dat meisje van je werk, hoop ik, met die eh... Russische naam?' vraagt hij verlekkerd.

'Die dat te korte truitje aanhad op de begrafenis,' vult Anne aan.

'Natasja. Nee, die niet,' zeg ik. 'Ik denk niet dat jullie haar kennen. Iemand die ik eh... uit de Pilsvogel ken. Ze heet Roos.'

'O,' zegt Anne. Ze draait haar hoofd naar het podium.

'Die heb je zeker al een veeg gegeven, hè?' vraagt Thomas met gedempte stem.

'Dat hoorde ik,' bitst Anne. 'Bah, wat vulgair. Daar is Stijn nog lang niet aan toe.'

Dat is het fijne van Thomas en Anne: je wordt vanzelf gesaved by the bell na elke heikele vraag. Gewoon je mond houden en wachten tot de een de ander met een huwelijkse snauw corrigeert.

Roos komt aanlopen.

Ik zwaai.

'Is dat die Roos?' schreeuwt Thomas vanachter in mijn oor. Ik knik. 'Lekker jurkje.' Zijn tong hangt bijna uit zijn mond.

Anne geeft Roos een hand, Thomas pakt Roos vast, met zijn dui-men nét de zijkant van haar borsten bevoelend waarbij je, als je Tho-mas niet goed kent, hem nog het voordeel van de twijfel geeft en zijn duimlanding aan het toeval toeschrijft. 'Ken ik jou niet ergens van?' vraagt hij, overduidelijk gravend in zijn geheugen.

Shit. Vorig jaar. Carnaval. De Bommel. Roos kijkt angstig naar mij.

'Vast niet,' spring ik tussenbeide. 'Nu iedereen er is kunnen we wel iets meer naar voren gaan. Vind je dat leuk, Luna?' Ze knikt.

'Hai Luna,' zegt Roos.

'Hoi...' zegt Luna nauwelijks hoorbaar. Ik prijs me vandaag geluk-kig met de verlegenheid van mijn dochter. Het is net of ze die mevrouw voor het eerst ziet in plaats van twee keer per week.

Anne vraagt Roos wat ze voor werk doet ('accountmanager bij een klein reclamebureautje'), of ze het leuk vindt ('niet echt, beetje oppervlakkig'), hoe lang ze er al werkt ('een halfjaartje, ik zat eerst als marketingmanager bij een touroperator, maar ik wilde graag in Amsterdam werken') en – ik dacht al, waar blijft-ie nou – waar ze mij van kent ('de Pilsvogel,' antwoord ik vlug).

Roos vraagt of we allemaal zin hebben in wijn. Voor haar rode kleur de kans krijgt echt door te breken, heeft ze zich al door de menigte richting bar gewurmd.

Als ze terug is met een fles rosé en vier glazen, wurmen we ons richting het podium. Thomas heeft het niet makkelijk met zijn hon-derdvijf kilo. Ik zie dikke koeken onder zijn armen.

'Pff, wel druk hier, zeg,' zegt Anne. Ze duwt hevig geïrriteerd een jongen opzij die in haar looprichting staat.

'Zullen we anders toch maar hier blijven staan?' vraagt Thomas.

Uit mijn ooghoek zie ik waarom dat een heel slecht idee is. Ik haal snel Luna, die als een rode vlag boven de menigte uittorent, van mijn nek.

'Oeoe... Schatje!'

Te laat.

Natas komt aanlopen met in haar kielzog drie Dolly's, waaronder die van vanochtend. Voor ik besef wat er gebeurt, hangt Natas om mijn nek en begroet me alsof ze me in geen jaren heeft gezien. Ze pakt mijn gezicht in haar handen en zoent me vol op mijn mond, voor de neus van Roos, Thomas, Anne en Luna.

Ook goeiemiddag.

Ze heeft een strak zwart T-shirt met kapmouwtjes aan. Uiteraard te kort. Ter hoogte van haar boezem prijkt in grote glitterletters het woord LOVE. Ik zie Thomas afwisselend naar de letters en buik-met-navelpiercing kijken. De Dolly van vannacht omhelst me ook weer, dermate innig dat haar borsten net als een paar uur geleden op centimeters afstand van mijn gezicht hangen, zij het dit keer in verpakking. Ze heeft zich thuis omgekleed en opgemaakt. Groene oogschaduw, een gezinspak lipgloss, een minirokje met Schotse ruit en een legergroen T-shirt zonder mouwen met een print van Che Guevara. Ik sluit niet uit dat ze denkt dat dat een zanger is.

Ik zie dat Luna verbaasd is dat er ineens zoveel mensen om haar heen staan die ze onlangs nog bij ons over de gang heeft zien lopen, al dan niet gekleed. Ze kijkt met open mond naar Natas en de voor haar bekende Dolly. Ik stel het gezelschap aan elkaar voor. Thomas grijpt direct zijn kans en zoent alledrie de Dolly's, waarbij hij ze met zijn grote handen vastpakt. Vluchten kan niet meer. Anne kijkt afkeurend en geeft alle Dolly's een ferme handdruk.

'En... dan moet jij Roos zijn?' kirt Natas.

'En jij bent...?' vraagt Roos. Ik voel een afstand.

Natas niet.

'Oeoeoe, Roos, eindelijk zie ik je een keer!' Ze grijpt Roos ongegeneerd bij haar middel en kust haar net als mij daarnet vol op de mond. 'Wat gezèèèllííí dat jij er ook bent!!!' Ik voel me alsof ik in een blijspel van John Lanting ben beland. Eén minuscuul toespelinkje van een van de meiden op vannacht en ik krijg een hartverzakking. En Roos en Anne met mij.

'Schatje,' gilt Natas tegen de nachtdolly, 'dit is Roos! Je weet wel!'

Ja, dat weet ze wel. De Dolly knipoogt naar me.

'Wat jammer dat jij geen kaartjes wilde voor het Acid Feest van gisteren,' gaat Natas verder, 'ik had het zo leuk gevonden om een keer met jou uit ons pannetje te gaan.'

Roos zegt dat ze even naar de wc moet.

Luna blijft maar aan mijn mouw trekken.

Anne zegt tegen Thomas dat ze zo maar weer eens moeten gaan, het wordt al laat.

VIJFTIEN

Ik loop met Roos mee richting de uitgang van het park bij de Vondel-
kerk. 'Waarom wilde je me er gisteren niet bij hebben?' sist ze.

'Mag ik misschien ook dingen doen zónder jou?'

'Maar waarom zég je dan niet gewoon dat je zonder mij wilt? Wilde je zonodig iemand anders n...' – ze kijkt omhoog, naar Luna in
mijn nek, en valt stil.

'Ja, mag ik, godverdomme? Je bent mijn vriendin niet.'

'Dat weet ik ook wel! Van mij mag je het met heel Amsterdam
doen, als je daar gelukkig van denkt te worden!' roept ze woedend.

'Roos, toe nou...' Ik kijk gegeneerd om me heen. Aan de zwaarte
waarmee Luna op mijn hoofd leunt, voel ik dat ze in slaap is gevallen.
Roos trekt zich er niks van aan.

'Weet je wat? Ga voortaan maar lekker met die schapen neuken!'

Dan draait ze zich om en beent weg, het park uit.

Ik wacht even tot ze uit het zicht is en neem dan dezelfde uitgang.
Nog een keer langs het terras van Vertigo lopen wil ik niet.

Even later hoor ik een sms piepen.

**Ik kom vanavond niet. Als ik je warmte niet krijg,
hoef ik ook je kou niet.**

Kwaad delete ik het bericht en loop de Vondelstraat uit. Als ik op de
hoek van de Overtoom en de Constantijn Huygens ben, komt lijn 3
net aanrijden. Ik haal Luna van mijn nek en draag haar op mijn arm
de tram in. Luna is slaapdronken. Voorzichtig zet ik haar naast me
op de bank neer.

'Pap, ik ben moe...'

O ja. Begin jij ook nog eens. 'Ga maar gewoon weer slapen, schat.'

Als de tram op gang komt, gaat de telefoon. Geen Roos, maar een Dolly.

'Ha schatje... hadden jullie ruzie?'

De tram rijdt de brug van het Vondelpark over. Ik zwijg.

Ze giechelt. 'Hé, heb je zin om met ons mee te gaan naar het strand? We zitten al in de auto.'

'Nou, ik wilde eigenlijk naar huis,' – hm... dollen met de Dolly's in het zand... – 'waar?'

'De Republiek. Moeten we je even thuis oppikken?'

'Nee, ik eh... wacht effe...' De tram stopt bij de halte van het Conservatorium. Ik sta op en wring mezelf tussen de mensen door naar de uitgang. 'Gehaald. Pik me maar op bij de hoek van de Willemsparkweg en de Van Baerle.'

'Oké, schatje. Tot zo!'

Ik berg mijn gsm op. Blij dat ik uit die kleffe tram ben. Ineens slaat de schrik me om het hart. Lijn 3 trekt langzaam op. Mijn ogen flitsen langs de ramen van de verschillende tramgedeeltes.

Ineens zie ik haar. Ze zit op haar knieën en heeft haar gezicht in paniek tegen de ruit gedrukt.

Door het raam zie ik haar mond een geluidloze angstkreet vormen.

'Paaa-paaa!!!'

Ik zal goed voor je dochter zorgen. Ik begin over de trambaan door de Van Baerlestraat achter lijn 3 aan te rennen.

Bij de halte bij het Concertgebouw haal ik hem goddank in.

ZESTIEN

Half juli, twee maanden na Carmens dood, bekijk ik mijn agenda en zie dat ik welgeteld vier avonden alleen ben geweest.

Door mijn nieuwe ontdekking barst ik van de energie. Ik kom met gemiddeld een uurtje of vier slaap toe.

Roos weet er niks van. Ze moet, afgezien van één of twee keer per jaar een half pilletje, niks van drugs hebben. Ze heeft laatst haar eerste feestje gehad bij het reclamebureau waar ze nu werkt en daar werd ook flink genuttigd, vertelde ze.

'Niemand werd er leuker van, die avond.' Ik hield wijselijk mijn mond. Wat drugs betreft had Roos een zus van Carmen kunnen zijn.

Ik heb besloten om maar helemaal niks meer over de Dolly's en aanverwante zaken te vertellen. Roos en de Dolly's, dat wordt nooit wat. Niet erg, want ik zit er helemaal niet op te wachten dat zij te close worden. Ik vind het best zo. Op zondagochtend, als ik wakker word na een zware stapavond met Ramon of de Dolly's, kijk ik ernaar uit om 's avonds lekker bij mij thuis op de bank knus te doen met Roos. *Cold Feet*, wijntje, toastje. Het brengt het weekend mooi in balans.

En al waak ik er angstvallig voor dat Roos het gevoel krijgt dat we vriendje-vriendinnetje zijn, ik vind het leuk om haar te verwennen. Soms reserveer ik de hele zaterdag en zondag voor haar en gaan we naar Antwerpen of Rotterdam. Vorig weekend heb ik Anne en Thomas gevraagd of Luna een weekendje mocht komen logeren en toen zijn we samen naar Parijs geweest. Niemand die het wist, zelfs Frenk en Maud niet. Dan moet je dat allemaal weer gaan uitleggen en daar heb ik geen zin in.

Na een intiem avondje of weekendje Roos heb ik wel weer genoeg van al die knussigheid. Ik merk dat ik wat kribbig word en moet me inhouden om niet al te opzichtig te gaan sms'en om wat af te spreken voor de dag erna, met Ramon, Natas of een Dolly.

Coke schept toch een band, hoe je het ook wendt of keert. Het maakt het allemaal zo gezellig.

ZEVENTIEN

Niemand ontkomt aan de Summer of Love.

Ramon stapt de snoepwinkel binnen. Hij doet eerst Natas, daarna systeemsgewijs de ene na de andere Dolly en, om de cirkel rond te maken, ook Maud. Net als ik. Maud blijft iedere maandagavond, na De Eetclub, nog even hangen als Frenk naar huis gaat, en dan spelen we een potje Snuif es in.

Maud zelf ontdekt op haar vierendertigste plots een onvermoede interesse in het vrouwelijk lichaam. Natas wijdt haar in, samen met een Dolly. Zelfs Frenk pikt het Summer of Love-gevoel op en gaat na een feestje in More met een Dolly mee naar huis. Carmen zou zich in haar graf, mocht ze daar de ruimte voor hebben gehad, op de knieën hebben geslagen van de pret.

De grote spil ben ik. De weduwnaar. Op sommige dagen lijk ik Circus Renz wel.[10] Drie voorstellingen per dag. In mijn agenda houd ik als een Louis van Gaal alle opstellingen, doelpunten en invalbeurten minutieus bij. Achterin, onder het kopje 'to do', staan de namen van spelers die ik nog op mijn verlanglijstje heb staan. Iedere keer als ik er na een paar weken weer in kijk, kan ik er wel een of twee afstrepen.

Roos is de topscorer, op de voet gevolgd door Maud. Met Natas heb ik een moyenne van toch wel een keer per twee weken, een hele prestatie, gezien haar vele nevenactiviteiten. En dan zijn er nog de regelmatige invalbeurten van Dolly's en af en toe een verse *catch of the day*.

Vooral Paradiso, de Pilsvogel en More zijn goede viswateren, maar ook op het terras van de Coffee Company in de Pijp, om elf uur 's ochtends, heb ik een keer beet. Alsof het op mijn voorhoofd staat geschreven. Nog voor de lunch liggen we te neuken in haar studentenkamer, drie hoog aan het Sarphatipark. Een uur later zit ik alweer met een café latte in de zon *De alchemist* te lezen.

Ramon introduceert de term kruiwagenneuken, ofwel netwerkseks. Ik help hem aan de Dolly's, hij betaalt terug met een vrouwelijke collega van hem, die twee jaar geleden haar man aan kanker heeft verloren. Of ik geen zin heb om een keer met haar te praten. 'En het is nog een lekker wijf ook.' Hij heeft gelijk.

De zus van Thomas ken ik van vroeger, ik had haar jaren niet gezien tot de begrafenis van Carmen. Met een smoes bemachtig ik via Thomas haar telefoonnummer en stuur haar een sms of ze geen zin heeft om een keer mee te gaan stappen, 'als ik daar over een tijdje aan toe ben'. Voor de vorm wacht ik enkele weken voor ik haar bel. Dezelfde avond komt ze langs en klaar.

De Dolly's zijn de beste kruiwagens. De meisjes uit hun circuit bieden zich op een presenteerblad aan in de kroeg ('Hoi, jij bent toch Stijn? Ik heb gehoord van Tas dat jij...'), of per sms ('Ik kreeg je nummer van een vriendin van me die zei dat jij het vast leuk zou vinden om...').

Het weduwnaarschap werkt, kortom, als een magneet. Het haalt de natuurlijke behoefte in vrouwen om te verzorgen, te troosten en lief te zijn, naar boven. Bij versiergesprekken gooi ik de dood van mijn vrouw er al in de openingsfase in.

'En hoe komt het dan dat je zo lang niet uit bent geweest?'

'Dat wil je niet weten.'

'Vertel nou maar.'

'Nee joh, jij bent gezellig uit en dan ga ik jou niet lastigvallen met nare verh-...'

'Wat is er dan gebeurd?'

'Goed dan. Mijn vrouw is pasgeleden overleden aan kanker.'

Niemand weigert een weduwnaar iets.

Als het linksom niet lukt, dan maar rechtsom. Ik heb de overtuigingskracht van een verkoper van kopieermachines. Is mijn weduwnaarschap toch geen overtuigend verkoopargument? Zet ik mijn huis van vierhonderd vierkante meter in Oud Zuid toch in. Vooral bij de carrièremeisjes een ijzersterk verkoopargument. De jongere meiden, die ik via de Dolly's krijg aangekruierd, gaan meer voor de voordelen op korte termijn – de coke en de creditcard na het eten.

En als ik helemaal geen risico wil lopen, zet ik Luna in. Dan nodig ik een to do-tje gewoon bij me thuis uit en laat ik zien wat een goede papa ik wel niet ben.

'Zeg schat, wil jij even wachten, dan ga ik Luna voorlezen en in bed stoppen.'

'Doet je au pair dat niet dan?'

'Nee, want het is míjn dochter.'

Als ijskappen door het broeikaseffect.

ACHTTIEN

'Jezus, wat is het hier leeg, zeg...'

'Ja, hallo,' lacht Maud, 'wat had je dan verwacht, wolkenkrabbers?'

We lopen met onze weekendtassen en dozen vol boodschappen door de duinen richting ons huisje.

Frenk tuurt over de zee en inhaleert diep. 'Heerlijk, die weidsheid.'

Ik volg zijn blik. Je kan van alles over Ameland zeggen, maar niet dat het overbevolkt is. Op het strand is een vader met zijn zoontje een balletje aan het trappen en aan de horizon zie ik enkele mensen wandelen. Dat is het.

Maud wijst naar een paar huisjes in de verte, boven op een duin.

'Ja. Daar moet het zijn.' Frenk knikt.

We lopen het duinpad verder op.

'Die daar is het,' hijgt Frenk. 'Nummer 3.'

Nu snap ik waarom we twee dagen voor het weekend nog gewoon een huisje konden reserveren. De luiken van onze buurhuisjes zijn hermetisch gesloten.

Frenk steekt de sleutel in het slot en opent de deur. We staan meteen in de huiskamer. Er staat een achthoekige, bruinglazen salontafel die je alleen nog ziet in sbs 6-programma's over wonen in probleemwijken. Aan de muur hangt een Bob Ross-achtig schilderij.

'Hm,' zegt Maud.

'Tja. Mooi is anders,' bromt Frenk.

We schieten in de lach. De designpolitie zou haar hart op kunnen halen in strandhuisje nummer 3. Ik gooi mijn weekendtas op de skaileren bank.

Het is het initiatief van Frenk, dit weekend. De Eetclub on tour. Alleen Maud, hij en ik. Geen Dolly's, geen Natas, geen Ramon en geen Roos. 'Om een beetje tot rust te komen en lekker te praten.' Carmens moeder past dit weekend op Luna, bij mij thuis. Toen ik na het derde kopje koffie zei dat papa en Frenk nu echt, echt weggingen, was het janken geblazen. Alweer. Ik kan tegenwoordig mijn kont niet keren of het is janken geblazen. Die tramaffaire heeft er goed ingehakt.

Op de boot kreeg ik godzijdank een sms'je van Carmens moeder dat de rust is weergekeerd in Amsterdam. Luna geniet van de zeehonden in Artis.

Maud zal dit weekend koken. We hebben genoeg bij ons voor een weeshuis. Frenk heeft voor wijn en champagne gezorgd, ik heb de wodka en lime bij me. Op dringend verzoek van Frenk zijn er geen drugs mee. 'Even weg van al die sneeuwsnuivers.'

Het is alweer weken geleden dat we zoveel gepraat hebben. De laatste twee Eetclub-maandagen waren door mij afgezegd.

Tijdens een strandwandeling vertelt Frenk hoe het bij Merk in Uitvoering gaat. Hij heeft een nieuwe junior-accountexecutive op proef aangenomen en als het zo doorgaat gaan we dit jaar nog beter draaien dan vorig jaar. Volkswagen heeft een nieuwe marketingmanager en die heeft een opdracht bij ons neergelegd waar we drie man maanden voor aan het werk kunnen zetten. Ik veins interesse, maar merk dat het me niet boeit.

Maud zegt dat ze afgelopen weekend een afspraakje had met een jongen van de sportschool en bij hem is blijven slapen. Het is niet voor herhaling vatbaar.

Ik vertel dat ik een weekend met Roos naar Antwerpen ben geweest.

'Hoe serieus is het nu tussen jullie?' informeert Frenk. Ik gooi een platte steen in zee.

'Niet,' antwoord ik. 'Het is lekker om bij haar te zijn, maar ik neem bewust afstand als we een dag of zo'n weekend samen zijn geweest.'

Frenk wil weten hoe.

'Ik laat aan het eind van het weekend even terloops vallen dat ik haar die week niet veel zal zien, omdat ik andere afspraken heb.'

'En dan neukt hij een Dolly,' vult Maud lachend aan.

'Echt?' vraagt Frenk verbaasd. 'Maar daar voel je je toch niet lekker bij, zo vlak na elkaar?'

Maud bukt om een schelp op te pakken.

Hij moest eens weten dat ze na iedere Eetclub bij mij blijft slapen.

Tijdens het eten draaien we de cd van Carmen. Frenk vertelt dat hij bang is dat we allemaal maar doorleven alsof er niks aan de hand is. Hij zegt dat hij twee dagen van de kaart is geweest omdat hij de avond na dat feestje met die Dolly mee naar huis is geweest.

'Het voelde niet goed. Ik voelde me schuldig naar Carmen toe, alsof ik geen verdriet heb.'

Maud en ik vinden dat hij onzin uitkraamt. 'Carmen wilde juist altijd dat jij meer seks zou hebben,' zegt Maud stellig.

'Zeker weten,' antwoord ik. 'Al neukte je een geit.'

'Nou ja, een schaap was ze natuurlijk wel een beetje,' zegt Frenk verlegen.

We rollen over de tafel van het lachen.

De cd is bij track zes. 'I want to spend my life with a girl like you,' zingen The Troggs. De tranen springen in mijn ogen. Maud en Frenk huilen met me mee als ik vertel over mijn laatste dans met Carmen.

Langzaam worden we dronken.

Om halfdrie staat Frenk op en omhelst ons. 'Goeie wijn, lekker eten en fijne vrienden. Wat wil je nog meer in het leven?' We kussen elkaar goedenacht.

'Trusten, ik vond het een heerlijke dag, vrienden,' zegt hij gapend.

Ik zeg dat ik nog even opblijf en knijp buiten Frenks zicht Maud in haar arm.

NEGENTIEN

'Wie wat bewaart heeft wat.' Ik open mijn hand en laat Maud een zilverpapiertje zien.

Ze kijkt ernaar en richt haar blik vervolgens op mij. 'Nee... dat meen je niet.'

'Zolang Frenk er geen last van heeft, maakt het niet uit, wel?'

Zonder haar antwoord af te wachten, vouw ik het pakje open en strooi de inhoud voorzichtig op de glazen tafel. Ik haal een bankbiljet uit mijn zak en vouw het tot een rolletje.

Nadat ik mijn neus heb afgeveegd, geef ik het rolletje aan Maud. Even twijfelt ze. 'Ach, waarom ook niet,' zegt ze. 'Goed afzakkertje.'

Mauds ogen tollen. Ze heeft haar ene been over de rand van de bank geslagen en het andere opgetrokken. Ik lig boven op haar en beweeg hard in haar lichaam.

'Je wilt het,' sis ik in haar oor. Mijn pik voelt alsof hij in brand staat.

Maud loenst. 'Neem me,' zegt ze met hese stem, 'je mag alles met me doen...'

Mijn blik valt op de fles champagne die we even hiervoor hebben opengemaakt.

'Wacht even.'

Ik grijp de fles, zet hem aan mijn mond en neem een flinke slok. Dan duik ik tussen haar benen. Met mijn vingers trek ik haar schaamlippen open en laat voorzichtig de champagne over haar vulva stromen.

'Jaaahhhh...' zucht Maud.

Ik lik haar en kijk van tussen haar benen naar haar bovenlichaam. Ze heeft een hoek van het kussen op de bank in haar mond gestopt om het gekreun te dempen. Ze beweegt steeds wilder, haar borsten deinen op en neer.

Schokkend komt ze klaar.

Ik ga op mijn knieën zitten en breng mijn lul weer voor haar klets-natte kut. Ik kijk naar beneden, hoe ik hem langzaam tussen haar schaamlippen druk. Het laatste restje champagne giet ik over haar buik, haar borsten, haar geopende mond. De lege fles gooi ik in de hoek van de kamer. Maud gilt het uit, gooit haar benen in haar nek en klauwt met haar nagels in mijn rug. Ik grom en beuk mijn pik nog harder in haar op en neer.

En dan komt Frenk in zijn onderbroek de kamer binnen.

TWINTIG

Frenks blik glijdt de kamer rond. Ik zie hem naar de lege champagnefles kijken. Daarna naar Maud. Naar het witte slipje van Maud, op de rand van de bank. Naar mijn schoenen. Naar het opgerolde briefje van tien. Naar het zilverpapiertje. En naar de restjes coke. Dan draait hij zich om, loopt de huiskamer uit en smijt de deur dicht.

Maud is de eerste die wat zegt.

'Kut... O, dit is kut. Schiet op, sta op!'

Ik sta verdoofd op en zoek met mijn ogen mijn boxershort.

Maud trekt meteen haar jeans aan. Haar slipje laat ze liggen. Ze pakt mijn T-shirt en trekt het aan.

'Ik ga naar Frenk,' zegt ze met bibberende stem.

Minutenlang zit ik verdwaasd op de bank. Ik staar naar het Bob Ross-schilderij. Wat een hoop bomen.

Dan hoor ik de deur opengaan.

'En, hoe is het met hem?' vraag ik zonder op te kijken.

Geen antwoord.

Ik draai mijn hoofd naar de deur en kijk recht in de roodomrande ogen van Frenk. Hij heeft zijn weekendtas in zijn hand. De rits staat open.

'Ik ga.'

'O?' Ik kijk hem niet aan. 'Nou, doe wat je niet laten kunt.'

Frenk stapt over mijn benen heen, opent de voordeur en verdwijnt in de nacht.

Ik neem de fles wodka van tafel en zet hem aan mijn mond.

In de kamer naast me hoor ik Maud snikken.

EENENTWINTIG

'Hoe gaat het met Lan- eh... je dochter?' vraagt Natas.

'Goed!'

'O. Fijn.'

'Ja. Heel fijn.'

Natas zit naast me met haar armbandjes te spelen. Ik blader door het *inflight magazine*.

'En wat is er eigenlijk met Frenk aan de hand?'

'Hoezo?'

'Hij was zo kortaf op het werk. Jullie waren het afgelopen weekend toch op Ameland?'

'Ja.'

'Maud heeft zich maandag ziek gemeld.'

'O?'

'Ja. Gisteren was ze er pas weer. Frenk heeft de hele dag zijn mond niet tegen haar opengedaan. Sinds jij weg bent is het sowieso een saaie boel bij Merk in Uitvoering, maar op deze manier zijn de dagen echt niet om door te komen.'

Ik zucht.

'Nou?'

Ik aarzel. 'Frenk is het hele gedoe een beetje beu.'

'Het hele gedoe?'

'Ja,' snauw ik. 'Ons. Hij vindt het helemaal niks dat iedereen aan de lijn is. En dat iedereen met iedereen...' Ik maak een neukgebaar met mijn duim tussen mijn vingers.

'Belachelijk. We zijn gewoon lief voor elkaar.' Natas draait zich naar de andere stoel naast zich. 'Ramon, wat vind jij ervan?'

Ramon doet zijn walkman af.

'Vind jij ook niet dat we allemaal zo leuk met elkaar omgaan, de laatste tijd?'

Hij haalt zijn schouders op en knikt. En zet zijn koptelefoon weer op.

'Frenk vindt van niet, hoor ik net van Stijn. Trouwens,' vult Natas aan, 'als je met elkaar naar bed gaat, wordt de vriendschap juist sterker, vind ik.'

Ik staar uit het raampje en denk aan de woorden van Frenk.

'Er is iets ergs gebeurd het afgelopen weekend, hè?'

Ik merk dat ik begin te blozen.

'Oeoeoehhh, kijk, Ramon, Stijntje wordt rood.' Natas stoot Ramon aan.

'Vergaderen!' roept Natas. Twee Dolly's voor ons draaien zich om. Ik begin te vertellen.

'En toen, en toen?' gilt de linkerdolly.

'En toen pakte Frenk zijn weekendtas uit de slaapkamer en vertrok.' Dat hij rode ogen had verzwijg ik en dat Maud 's ochtends had gezegd dat ze wel dood zou willen ook.

Natas en de Dolly's gieren het uit. Ramon grinnikt.

'Ik vind het niet vreemd, hoor,' zegt Natas. 'Van coke word je nou eenmaal bloedgeil.' De Dolly's knikken.

'Frenk moet begrijpen dat het gewoon een fase is, Stijntje. In jouw situatie kun je het nou eenmaal niet iedereen naar de zin maken,' reageert Ramon. 'Vrouwen huilen hun verdriet weg, mannen neuken het weg. Kijk maar hoe Eric tekeerging in *Turks fruit*. En als Connie Palmen een vent was geweest, had ze na Ischa's dood precies hetzelfde gedaan.'

Natasja antwoordt dat ze niet weet wie Connie en Ischa zijn, maar dat ook zij ervan overtuigd is dat het een fase is. 'Frenk is gewoon jaloers op jou, joh.'

Het licht boven onze stoelen gaat aan en de stewardess roept om dat we onze riemen vast moeten doen omdat de gezagvoerder de daling voor Ibiza heeft ingezet.

TWEEËNTWINTIG

Ramon loopt nonchalant langs de douaniers, door de schuifdeuren, de veilige aankomsthal in. Ik loop er zwetend achteraan.

'Zie je wel dat het hier geen enkel probleem is,' zegt hij met een grijns.

'Sshhhttt!' sis ik.

Hij lacht en knijpt me in mijn wang. '*Welcome to Ibiza*, Stijntje!'

Giechelend voegen de Dolly's zich bij ons, met beautycases ter grootte van koelboxen.

'Oehhh, en ik heb nog wel mijn hele kut vol met coke en pillen,' kirt Natasja. Ze staat er zo bij te springen dat ik vrees dat de hele lading eruit gaat kletteren. Zou ze die al vanaf Amsterdam...? En bederft dat spul daar dan niet?

Onder de passagiers zie ik meer opgeluchte blikken. Als ze ons vliegtuig op zijn kop hadden gehouden, zou Ibiza onder een pak sneeuw bedolven zijn geweest waar ze in Alaska een puntje aan kunnen zuigen.[11]

Lang leve Schengen.

Ik sta met open mond te kijken als we onze gehuurde middenklasser voor de poort van ons tijdelijk stulpje in Ibiza parkeren. De plek is nog fraaier dan de plaatjes op internet, dat ziet een blinde in één oogopslag. Het huis waarin we deze week gelegerd zijn is wit, groot, met bergen als decor op de achtergrond, een zwembad op de voorgrond en in de verte een blauwe zee waar een mens spontaan dolfijn van zou worden.

Ramon, die voor de zoveelste keer op Ibiza is, heeft alles geregeld.

Hij scoort punten vandaag. O'end en a'end lopen de Dolly's rond. De teakhouten *deck chairs* staan keurig in het gelid opgesteld naast het zwembad en er staat een roestvrijstalen geval dat doet denken aan een ruimteschip, maar dat bij nadere inspectie een supersonische barbecue blijkt te zijn. De Smeg-koelkast is door de verhuurder als service van de zaak reeds tot de nok toe gevuld met flessen cava en San Miguel. En dan te bedenken dat hier de komende dagen een kudde topless Dolly's zal rondhupsen. Het voelt alsof ik in een roman van Ronald Giphart zit.

Ook vanbinnen is het huis gigantisch. Een negen op de schaal van *Melrose Place*. Er komt geen einde aan het aantal slaapkamers. Ik zoek er eentje uit op de tweede verdieping, ik verwacht dat het daar het rustigst zal zijn, en pak mijn koffer uit.

We blijven hier een week, maar met het aantal overhemden en T-shirts dat ik in mijn koffer heb gemikt lijkt het meer op een emigratie. Ik ben als de dood om over- of underdressed te zijn. Volgens Ramon is dat risico niet groot, aan dresscodes doet men op Ibiza niet, zegt hij. Hij loopt rond met een air van een surfleraar. Openingstijden van clubs, wanneer we waar heen moeten, de juiste stranden en strandtenten, alles heeft-ie paraat. Het zou me niets verbazen als hij zo meteen het weer voor de komende week nog gaat voorspellen ook.

Er stijgt gejoel op vanaf het terras bij het zwembad. Ik kijk uit het raam en zie dat de eerste Dolly zich van haar vacht heeft ontdaan en in een minuscuul stringetje het zwembad is ingedoken. Ramon, met zijn irritante wasbordbuikje, pakt de tweede bij haar middel ('Nee, nee, niet doen!') en springt samen met haar schreeuwend Dolly I achterna. Bij het terras, dat enkele treden hoger ligt, zie ik Natasja voorovergebogen bij de cd-speler staan. Ook zij heeft haar indrukwekkende borsten uitgepakt en steekt een cd'tje in het apparaat. Ik hoor een vrolijk synthesizerdeuntje en een stem die een regel zingt die ik geloof ik van Toto ken. De twee Dolly's zingen zwemmend het refrein mee alsof het ons volkslied betreft. *'If ai hed unoddur tsjens tonaajt,'* klinkt het uit volle borsten. Als de drumcomputer zich even later meldt en overgaat in een zware beat, zet Natas het ding op standje burengerucht en begint te springen. Haar borsten vliegen in het rond. Het is goed dat ik een kamer op de tweede verdieping heb gekozen, anders had ik ze nog in mijn gezicht gekregen. Grijnzend hijs ik me snel in mijn zwembroek, doe uit concurrentieoogpunt met Ramon een wijdvallend overhemd met korte mouwen aan en loop de trappen af. De derde Dolly draagt juist vanuit de keuken een bord met stukken *manchego* en *jamón* naar buiten. Ik neem er een plakje vanaf, sla haar speels op haar billetjes en druk een zoen op haar wang. Ze hapt naar me, haar tong buitenboord en zegt met een speelse knipoog dat dit weleens een hele leuke week kan gaan worden.

DRIEËNTWINTIG

Binnen een uur ben ik zo lam als een konijn.

Ik sta in het zwembad met mijn tweede fles cava te zwaaien en heb nog meer lol dan Luna met haar vriendinnetjes in een opblaaszwembad. Ik zwem naar de kant en leg mijn armen op de rand van het zwembad. Het uitzicht is fenomenaal. Dolly III ligt met haar benen halfopen op een deck chair. Ze is bezig haar borsten met een naar kokosmelk ruikende olie in te smeren. Mijn ogen maken overuren, ze flitsen heen en weer van haar glanzende borsten naar het punt waar de witte string in haar kruis verdwijnt. Ik schat de kans dat ik deze week zelf een keer die weg afleg hoog in.

'Tatatatatááá!!!' gilt Natasja vanuit de deuropening, met een nieuw dienblad in haar handen. Ik kan vanaf mijn ingenomen stelling in het zwembad niet zien wat erop ligt, maar het laat zich niet moeilijk raden. De Dolly's stuiven op het dienblad af als pupillenelftallen op een voetbal.

Ik kijk op mijn horloge. Jezusmina, twee uur 's middags. Ik aarzel of ik enige vaderlijke kanttekeningen moet maken over het keuzemenu op dit uur van de dag, maar buiten mij wordt niemand zo te zien gehinderd door enige gêne. Ramon snuift het spits af, de Dolly's volgen gedwee. Ik zie het schouwspel verbaasd aan.

Natas kijkt me uitnodigend aan, vanaf de andere kant van het zwembad.

'Schatje, er is gezelligheid, hoor!' roept ze.

Ik lach en schud mijn hoofd. 'Later, misschien.' Even iets minderen deze week.

Ik zie Natas iets in Ramons oor fluisteren. Hij kijkt me over zijn schouder aan alsof ik een scheidsrechter ben die erop staat dat de bal voor een vrije trap vijf centimeter achteruit moet worden gelegd. Ach, wat zeur ik eigenlijk ook. In dit paradijselijke oord een beetje de zeiksnor uithangen omdat het nog te vroeg is voor een gezelligheidssnuifje?

Een kwartier later voel ik me niet langer een konijn, maar een Überkonijn. Wij zijn het Nederlands elftal van 1974 en de geallieerden van 1944 tegelijk.[12] De house uit de installatie dreunt over de vallei heen. Ik hoor een nummer dat ik vaag ken van de Pilsvogel.

'Kolere, wat een lekkere muziek,' roep ik vanuit een ligstoel, 'wat ís dit?'

'Raven Maize!' schreeuwt Natas boven de muziek uit. 'Vind je het fijn, schatje?'

'Harder!' brul ik. Natas lacht en drukt net zolang op de tiptoetsen tot het geluid begint te vervormen. Hoewel de dichtstbijzijnde villa op een afstand ligt waarbij burenruzie onmogelijk lijkt, doen we aardig ons best. Het eiland is van ons.

Vanachter mijn zonnebril overzie ik mijn koninkrijk. Ibiza ligt aan mijn geteenslipperde voeten. Ik kijk naar de beboste bergen om ons heen. Naar de strakblauwe lucht. De zee. Het strand in de verte, waar de losers liggen die zich geen huis als dit kunnen veroorloven.

Dolly II ligt op een luchtbed in het zwembad te glanzen. Haar zonnebril bedekt haar halve gezicht. Ze beweegt haar hoofd op de maat van de muziek. Haar lippen zijn getuit. Af en toe likt ze aan haar bovenlip, met het puntje van haar tong. Een blond gebakje. Ze staat met stip op één op mijn verlanglijstje van deze week. Aan de andere kant van het zwembad buigt Ramon zich met zijn wasbordje over een andere Dolly. Zelfs in die houding kan ik geen kwabje bij hem ontwaren, hoe lang ik ook kijk. Met een rietje blaast hij over de buik van de Dolly. Ze giechelt. Af en toe raakt hij met het rietje haar linkertepel aan, de rat. Ik kijk gebiologeerd naar haar tieten. Jezus christus, ze worden nog hard ook. In mijn zwembroek is zich een erectie aan het ontwikkelen die bijna pijn doet. Ik klop er met mijn vingers op, in de maat van de muziek. 'Gaat het, Stijn?' grinnikt Dolly 11 vanaf haar luchtbed.

'Ben geil,' roep ik, in een poging boven de muziek uit te komen.

'Zien.'

Ik kijk haar aan. Ach, what the fuck.

'Hoe laat begint het neuken?' roep ik, trek mijn zwembroek een stuk naar beneden, pak mijn stijve in mijn rechterhand en begin er mee te zwaaien alsof het een cocktailshaker betreft.

11 buldert van het lachen, Ramons Dolly kijkt ook geamuseerd mijn kant op.

Wasbordje—Cocktailshaker: 1–1.

Ik grijns en voel me goed. Wat zeg ik, ik voel me God. Ik sta op, trek mijn zwembroek uit, neem een aanloop en laat me vlak bij het terras met een schreeuw in het water plonzen.

Altijd lachen met Stijn.

Als ik bovenkom, lacht er niemand. Iedereen kijkt me verschrikt aan. 'Stijn, wat heb je nóú gedaan!?!' roept een Dolly.

'Klootzak!' briest Ramon, 'alles is nat!'

Ik begrijp niet waarom ze zich zo druk maken om een paar natte stoelkussens, tot ik zie dat Ramon als een gek probeert om een hoopje coke te redden.

'Sukkel,' bitst Natas, 'weet je wel dat er hier voor een paar honderd euri aan pretsuiker lag?'

Mijn populariteit daalt in recordtempo tot Clarence Seedorf-niveau. Stamelend zeg ik dat ik de schade wel aan mijn reisverzekering zal opgeven.

VIERENTWINTIG

Mijn mond smaakt naar bedorven muskusrat en, erger, vlak bij me klinkt een irritant gezaag. Ik wil me omdraaien. Au. Rustig, Stijn, rustig. Ik doe een tweede poging. Naast me ligt een vrouw te snurken. O ja. Dolly II. Op het kastje naast het bed ontwaar ik een zilveren schaaltje met wat restjes Feestermans Vriend. Mijn god, wat zag ze er geil uit vannacht, toen ze zo op me zat. Beter dan nu. Haar halfopen mond stoot de meest onerotische ochtendgeluiden uit en er zitten enkele aangekoekte korrels onder haar neus.

Even overweeg ik haar gesnurk te stoppen door mijn ochtenderectie in haar halfgeopende mond te proppen, maar mijn bonkende hoofd protesteert. Dolly ligt nog steeds met haar benen wijd. Dat ziet er wél smakelijk uit. Schaamhaar is duidelijk uit tegenwoordig. Ik pak mijn camera uit mijn koffer, ga tussen haar benen zitten en maak twee foto's.

Daarna grijp ik mijn gsm om te kijken of er nog sms'jes zijn.

Shit.

Frenk.

Hoef je niet meer te zien. We moeten maar eens kijken wat we met Merk in Uitvoering doen.

Lekker belangrijk.

Ik sms terug.

Doe maar een bod.

Ik sta langzaam op, loop de overloop op en doe de deur van de kamer naast de mijne open. Bezet. Ramon met, zo te zien, Natas. De deur van de volgende kamer staat open. Ik laat me neerploffen op het lege bed. Fuck, wat hebben wij gezopen gisteren. Al na het eten bij Bambuddha was ik zo dronken als een tor. Als ik tijdens mijn wc-bezoeken geen industriële hoeveelheden coke had genuttigd, zou ik halverwege de nacht al in een delirium hebben gelegen. Dat zou zonde zijn geweest. Ik heb me zelden zo goed gevoeld als vannacht, daar, boven aan de trappen, neerkijkend op de uitzinnige menigte bij Space, terwijl Fatboy Slim stond te draaien. Fatboy Slim. Veel leuker wordt het leven echt niet. Hoe ik ooit zevenendertig jaar heb kunnen worden zonder dit eiland aan te doen is me een volstrekt raadsel. Ibiza zou verplicht moeten worden gesteld in ieders opvoeding.

Alleen jammer van mijn hoofd. Dit is verdomme geen kater meer, dit is een fucking roofdier.

Straks eerst heel lang douchen.

Nog zes dagen te gaan.

VIJFENTWINTIG

Het was ranzig, zo weet Dolly 11 me te vertellen, bij het zwembad. Ik ben vergeten wat en waar ik allemaal iets in heb gestoken en haal mijn schouders op. 'Joh, ik weet niet eens meer wanneer ik ben klaargekomen.'
'Niet,' antwoordt ze vrolijk, haar mond vol cracker met Duo Penotti. 'Je bent uiteindelijk met een slappe pik in slaap gevallen, half op me.'
Het voltallige gezelschap op het terras proest het uit. De inhoud van het zojuist aangebroken nieuwe envelopje gezelligheid waait er bijna van over de tafel.
Ik ben blij dat ik een sms binnenkrijg, zodat ik even kan bukken en mijn rode hoofd niet al te veel opvalt.
Hij is van Anne.

Luna en Lindsey hebben samen een heel hoge
toren van lego gemaakt. Een m.a.'tje: bel straks
even en vraag er dan naar, want ze was helemaal
trots.

Au.
Luna.
Ik heb nog niks van me laten horen, zelfs nog geen minuut aan haar gedacht. Ze knikte toen ik vroeg of ze er zin in had, terwijl we samen haar Winnie de Poeh-koffertje stonden in te pakken. Pyjama, kleertjes, voorleesboek, speen en natuurlijk Popje. Popje, zo heet de antroposofische knuffel die ze van Anne heeft gekregen.

Onderweg naar Maarssen knikte Luna nog enthousiast toen ik haar vroeg of ze zin had in het logeren. Ik vertelde dat papa na een paar nachtjes slapen weer terug zou zijn en dat het vast hartstikke leuk zou worden met Lindsey en eh... de andere kinderen van Thomas en Anne.

Toen ik wegreed en in de achteruitkijkspiegel zag hoe Luna op Anne's arm zat en met een trieste blik naar me zwaaide, voelde ik me een verrader. Dat Roos daarna, toen we koffie zaten te drinken bij De Gruter, zei dat zij het ook niet bepaald handig van me vond dat ik meteen na Ameland weer een hele week zonder Luna wegging, hielp ook niet echt.

Ik kijk over de vallei en voel tranen opkomen. Zonder het gezelschap aan te kijken loop ik naar binnen om ze te verbergen.

Ik ga Luna bellen. Nu.

Anne neemt op. Ze vertelt dat Luna net aan haar middagslaapje begonnen is ('Het is kwart over één, hè?'), dat ze vannacht goed heeft geslapen, vanochtend wel heel vroeg op was, om halfzeven al, dat ze redelijk heeft gegeten, vooral de pasta met gesmolten kaas van gisteravond ging erin als koek. Luna is wel wat snotterig, want het is wat fris in Nederland en ik had beter een truitje mee kunnen geven, maar ze heeft het al met al goed naar haar zin. Vooral met Lindsey, die twee spelen toch zó leuk samen. Anne vertelt gedetailleerd over de legotoren.

Intussen loop ik terug naar buiten en neem een plak chorizo van een schaal. Ik pak een openstaande fles cava en schenk mijn glas vol. Ik gebaar naar Natas of ze ook wil. Ze knikt.

'Ramon, is dit glas van jou of van mij?' vraagt ze aan Ramon, die naast haar aan tafel in een *Quote* zit te bladeren.

'Schat, denk je dat het mij iets kan bommen of ik uit jouw glas drink?' antwoordt hij, zonder op te kijken. 'Ik heb gisteren een kwartier aan je kut liggen likken.'

De Dolly's schateren het uit.

Ik houd mijn hand voor de telefoon. Ramon kijkt op en gebaart geïrriteerd dat ik op moet hangen. Om me een houding te geven maak ik een knikkebollende beweging en doe alsof ik moet gapen.

Anne praat er lustig op los.

'...al kun je wel goed merken dat ze enig kind is, hoor, ze heeft er moeite mee om voor zichzelf op te komen, vooral als iedereen hier aan tafel door elkaar heen praat.'

Ik antwoord bits dat het ook niet de bedoeling was dat Luna zonder broertje of zusje zou blijven, maar dat er bij Carmen ineens iets tussenkwam. Ramon grinnikt. Hij roept dat het misschien wel leuk is als ik Anne vertel wat ik vannacht allemaal bij Dolly 11 heb liggen doen. Ik zeg tegen Anne dat ik moet ophangen, omdat we zo meteen op een excursie moeten en dat ik Luna vanavond nog wel bel.

ZESENTWINTIG

Natas waarschuwt me dat coke en xtc geen ideale combinatie is. Ik vermoed dat ze gewoon jaloers is.

'Als jij eens iemand anders aan z'n kop gaat lopen zeiken,' snauw ik, 'je bent godverdomme m'n moeder niet!'

We staan in Amnesia en ik heb zojuist een pilletje gekregen van een enorm lekker wijf uit Londen.

Het volgende moment, als ik met haar in een wc sta te vozen, gaat de deur plotseling open en word ik vanachter beetgepakt door een gorilla met een blauw pak en een stropdas, die me aan mijn nek, door de dansende menigte heen, mee naar buiten sleurt. *'Fuck off, you fucking asshole!'* roept hij als afscheidsgroet.

Even later lig ik op mijn rug op de kiezelstenen voor de ingang. Verontwaardigd krabbel ik op, onder het uitroepen van scheldwoorden die ik Johan Cruijff in zijn hoogtijdagen weleens tegen Spaanse scheidsrechters hoorde roepen. Daarna maak ik me snel uit de voeten, luidkeels verkondigend tegen de rij wachtende mensen, dat ik nooit meer één voet in die kuttent zal zetten.

Ik word meewarig bekeken.

Eenmaal om de hoek bedenk ik dat ik geen mobieltje bij me heb, zodat ik Ramon en de meiden niet eens kan bellen met de mededeling dat ik aan gene zijde van het vermaak ben beland. Het is nog geen drie uur en Amnesia sluit om zeven uur. Omdat het weinig zin heeft om hier te wachten tot zij naar buiten komen, houd ik een taxi aan.

In de grote villa voel ik me behoorlijk zielig, wetende dat de rest nu door het lint staat te gaan en waarschijnlijk nog urenlang wegblijft.

Mijn voetstappen galmen door het huis. Ik kijk op mijn mobieltje. Geen sms'jes, geen gemiste oproepen, niemand die me mist. Hufters. In de badkamer kijk ik in de spiegel en schrik van mijn spiegelbeeld. Ik zie wit, mijn ogen zijn rood. In de meest luxe villa die ze op deze berg hebben neergepletterd, voel ik me verlaten, terwijl alle mensen die me zouden kunnen opvrolijken in Amnesia, Amsterdam, Maarssen of het hiernamaals zitten. Ik loop naar buiten, ga bij het zwembad staan en geef een trap tegen de deck chairs. Ik open de koelkast, pak een fles cava en gooi hem over de omheining van onze villa. Ik hoor het ding met een doffe plof ergens in de bosjes terechtkomen. Gejaagd zoeken mijn ogen naar een zwaarder object waar ik mijn agressie op kan botvieren. Ja. Daar. Een plantenbak met een palm. Ik til het loodzware ding op en flikker hem met een lange zwaai het zwembad in. De palm blijft drijven. Ik staar er even naar en plof dan neer op een van de teakhouten deck chairs. Ik pak mijn gsm en probeer Ramon te bellen. Daarna Natas. Niemand neemt op. Ik tik een sms in.

Ben thuis. Eruit gegooid bij Amnesia. Voel me verlaten. Please, bel ff.

Ik kijk naar mijn adressenboekje, onder de R. Zal ik? Mijn hart bonkt in mijn keel. De telefoon gaat drie keer over. Dan word ik doorgeschakeld naar haar voicemail. Weggedrukt. 'Hallo, met Roos. Ik ben er even niet. Als je een berichtje achterlaat, bel ik je terug.'

Ik twijfel even. Als de piep gaat spreek ik in dat ik haar mis en hang haastig op. Het is halfvijf. Nog minimaal een uur of twee, drie voor er iemand thuiskomt. Als ze na sluitingstijd tenminste niet rechtstreeks naar Space gaan, die afterparty waar Ramon het gisteren over had. Wat nu? De kans dat ik nu de slaap vat is kleiner dan dat ik ooit in het eerste elftal van Ajax kom te spelen. Zou er nog ergens spul in huis zijn?

Ik loop Ramons kamer binnen. In een zijvak van zijn koffer vind ik een envelopje. Ik loop naar zijn badkamer en leg een lijntje op de rand van de wastafel.

Het witte spul helpt. Binnen een paar minuten ben ik meer geil dan eenzaam. Ik doe een verwoede poging om mezelf tot een orgasme te trekken, maar ondervind na tien minuten dat het een sessie met een open einde dreigt te worden. Ik loop naar de kamers van de Dolly's en snuffel rond in de kasten. Vooral de blauwe string van Dolly IV, met een ananasje aan de achterkant, vind ik geil. Bij Dolly II ontdek ik een kleine vibrator tussen haar spullen. Ik zie ook een dagboekje liggen en kan niet nalaten om daar even in te lezen. Toe maar. Ik lees dat ik haar ongenadig hard in haar artiesteningang heb geneukt. Ik staar naar de laatste zin in het dagboekje.

'Het leek wel een verkrachting.'

ZEVENENTWINTIG

Er wordt aangebeld.

Of er staat ergens een wekker te loeien.

Nee, het is mijn gsm!

Ik spring op van het bed en ren naar mijn eigen kamer.

Waar ligt dat kloteding? Ah. Daar.

Natas.

'Schàààtje!' gilt ze.

Ik kijk op mijn horloge. Acht uur.

Ik hoor strandgeluiden. 'Hoi. Waar zijn jullie?'

'Ramon ligt al in zijn blote pik in zee, ik zit hier naast een paar heel leuke jongens uit Barcelona, er zijn twee lieve Limburgse meiden bij, en... even kijken, o ja, we hebben twee gasten uit Den Haag opgeduikeld en, o, daar komt Ramon aanlopen...'

De telefoon wordt uit haar handen gegrist.

'Hé, klootzak!'

'Ramon. Ga je lekker?'

'Waar was je nou, mafkees? Wat is dat nou voor gelul, van dat eruit gooien?'

'Zo te horen word ik niet gemist.'

'Niet zeiken, klootzak. Pak een taxi en kom naar Playa d'en Bossa. Over een uur gaan we naar Space.'

'Hm.' Het enige wat me erger lijkt is hier nog een paar uur alleen zijn.

'Komen. Nu. Ik bewaar wel een Limburgs kippetje voor je.'

'Wachten jullie?'

'Ja. Maar kom snel. En neem van mijn kamer nog een beetje gezelligheid mee. Er zit een pakje in het zijvak van mijn koffer.'

Dat had ik al ontdekt. Er zit nog net een half snuifje in, dat ik reeds heb overgeheveld naar een zilverpapiertje en daarna in mijn broekzak heb gestopt.

De stemming is opgefokt als we Space binnenstappen, 's ochtends om halftien. Ramon, Natas, de Limburgse kippetjes, de Dolly's en hun Hagenezen, onze nieuwe Barcelonese vrienden, iedereen die hier rondloopt heeft zichtbaar net voor ik aankwam een reservedosis energie geslikt of gesnoven. Mooi, zo blijf ik voorlopig gevrijwaard van vragen van Ramon naar zijn eigen voorraad.

InBedWithSpace heet het feest vanochtend. Ik had het deze week, op de weg van het vliegveld naar ons kasteel, al zien staan op de billboards, maar dacht toen nog dat het a.m. achter de 9 een geintje was.

Ik sta naar de meute te kijken als Jan Jongbloed naar het schot waarmee Gerd Müller 1–2 maakte in de finale van '74.

Natas brengt redding.

'Heb je het niet naar je zin, schatje?'

'Mwa.'

'Kom 'ns.'

Ze trekt me in een van de zithoeken aan de rand van de dansvloer, rommelt wat in haar handtasje en houdt onopvallend haar hand onder mijn neus.

Een kwartier later sta ik te dansen.

Halfdrie. In de middag. Kapot ben ik. Ik loop al een halfuur te zeuren of er niemand mee gaat eten bij een van de restaurantjes buiten.

'Tas, heb jij geen honger?'

'Nee, schatje, we gaan dóóór!'

'Ramon, nassen?'

'Rot op, klootzak, we zijn er net.'

'Alfredo eh... *mangiare*?

'Que?'

'Food? Hungry? Outside? Ach... *fuck it.'*

Drie kwartier later krijg ik ze eindelijk mee.

De man achter de counter van het restaurantje fronst als hij ons schreeuwend en lachend binnen ziet komen.

'Hé, klootzak,' brult Ramon van een afstand, 'doe mij eens snel zo'n Italiaanse koeienvlaai.'

'Pizza!' schreeuwt Natas vanaf een tafeltje. Ze slaat met haar bestek op de tafel. De Dolly's en de Limburgse meiden volgen haar voorbeeld. Ik bestel een hamburger.

Tegen de tijd dat ik hem krijg, is de hele brigade alweer buiten. Ik zoek met mijn ogen de omgeving af en zie ze een stuk verder langs de weg lopen. Het is een bizar gezicht, op klaarlichte dag een groep partygangers in vol ornaat, volledig van het padje. De Limburgse meiden lopen op blauwe laarzen met hakken als paalwoningen, de Dolly's hebben fluorescerende pruiken op, een van de Hagenezen, een belachelijk mooie jongen met lang blond haar, heeft een cowboyhoed op en Ramon draagt een zonnebril van Elton John-formaat.

Al etend lopen we richting het strand.

'Zullen we nog even naar Bora Bora gaan?' roept een Dolly met haar mond vol Meatlovers Pizza.

'Eerst even hier kijken,' roept Ramon.

Bij een van de terrascafés met grote tv-schermen, die de hele dag wedstrijden uit de Premier League uitbraken, staat een hele menigte. De mensen staan tot op straat. Als we dichterbij komen hoor ik iemand gillen. Ik zie een jongen met open mond naar het scherm kijken en een meisje slaat twee handen voor haar mond.

'Kom, daar is het gezellig!' roept een van de Limburgse kippetjes.

'Joehoe, we gaan dóóór!' gilt Tas.

Enkele mensen bij het café kijken geïrriteerd om en gebaren dat we stil moeten zijn.

'Hé, bemoei je lekker met je eigen zaken,' roept de Hagenees met de hoed.

'Shut your mouth, asshole!' roept iemand naar achteren.

Ik doe een paar passen opzij en zie dat iedereen met verbijstering naar het grote tv-scherm naast de bar kijkt. Heb ik een belangrijke Champions League-wedstrijd over het hoofd gezien? Nee, het is dinsdagmiddag.

'Een live videogame,' hoor ik Ramon roepen. Hij is op een stoel geklommen.

Er wordt weer gegild. *'There goes another one!'* hoor ik iemand schreeuwen.

'FUCK! NO!!!' gilt een jongen ergens vooraan.

'Hé, moet je kijken, poepie!' roept de lange Hagenees tegen de Dolly naast me, 'ze beuken zo dat flatgebouw plat! Tering, wat een gaaf gezicht, zeg.'

Hij tilt de Dolly op zodat ze over de hoofden kan kijken. 'Je krijgt zo vast een herhaling! Echt vet dit, zeg!'

Een man met een blote bierbuik vol tattoos draait zich om. Hij heeft zijn vrouw tegen zich aangedrukt. Ze huilt. De ogen van de man spuwen vuur. *'Now fuck off, you!'* schreeuwt hij naar de Hagenees.

Ik klim op een auto. Als ik erop sta, zie ik juist een torenflat met veel rook in elkaar storten. CNN. Mensen rennen in paniek weg, de camera gaat alle kanten op, dit... dit lijkt New York wel. In de hoek van het beeldscherm verschijnt een kadertje. Dit ís verdomme New York! Dit is het WTC! Dit is het *fucking* WTC! In het kadertje stijgen rookpluimen op vanaf een van de twee torens. Er vliegt een stip, met daaromheen een cirkel geprojecteerd, richting de tweede toren. Het beeld wordt in slow motion getoond. De mensen in het café beginnen weer te gillen. Onder in beeld verschijnt een tekst.

Fourth plane said to have crashed into the Pentagon *** us under attack *** One of Twin Towers collapsed *** President Bush evacuated to a secure location.

Ik kijk naast me. Ramon staat te joelen, heeft zijn shirt uitgetrokken en zwaait ermee in het rond. Hij kijkt me grijnzend aan en steekt zijn duim omhoog. Ik kijk naar de rest van de groep. Natas is op de trottoirrand gaan zitten en eet haar pizza op. Ze zit te kletsen met een van de Limburgse meisjes. De Hagenees heeft zijn hand achter in het broekje van een Dolly gestoken. Ze lacht en haalt zijn hand weg. Ik kijk weer naar het scherm. New York. wtc. Pentagon. De jongen uit Barcelona vraagt of ik nog iets wil en wijst op een zakje poeder in zijn hand. Een andere Dolly roept dat ze het hier saai vindt met die tv en zeurt dat we verder moeten gaan.

Het is net of al het geluid wordt weggedraaid. Ik zie dat de tweede toren instort.

Ineens denk ik aan Luna. O mijn god. Luna. *Ik ga door, hoe moeilijk het soms ook zal zijn. En ik zal goed voor je dochter zorgen.* Dit wordt oorlog. Dit is oorlog. Morgen ligt Irak plat. Of Moskou. Of weet ik veel wat. *En ik zal goed voor je dochter zorgen.* Ik kijk mijn vrienden aan en zie ze nog steeds lachen. Ik moet weg. Ik moet hier godverdomme weg. Ik spring van de auto af. *En ik zal goed voor je dochter zorgen.*

Er komt een taxi voorbij. Ik ren erachteraan tot hij stopt.

De hele weg kan ik maar aan één ding denken. *En ik zal goed voor je dochter zorgen.* Ik pak mijn telefoon en bel met trillende vingers het nummer van Anne en Thomas.

'Stijn?!' huilt Anne. 'Heb je het gezien? Wat gebeurt er allemaal?'

Ik mompel dat dit foute boel is. Ze begint nog harder te huilen.

En voor het eerst sinds ik haar ken denkt ze hetzelfde als ik.

'Stijn, hoe moet dat nu toch met onze kinderen?'

Een halfuur later heb ik me verkleed en sta ik mijn koffer in te pakken. Nog voor de anderen thuis zijn, zit ik in de taxi op weg naar het vliegveld.

Ramon, ben weg. Probeer vanavond nog vlucht te krijgen. Ik ga voor mijn dochter zorgen.

ACHTENTWINTIG

'Wat dacht je nou, toen je me deze week belde? Het was midden in de nacht. Verwachtte je dat ik je wel even zou troosten? Zelfs op de voicemail hoorde ik dat je knetterstoned was.'

'Ja, eh...'

'Het gaat niet goed, Stijn.'

'Ik weet het allemaal niet meer, Roos. Ik ben in de war, de hele wereld is in de war...'

'Misschien moet je hetzelfde doen als toen na dat auto-ongeluk, toen Carmen nog leefde,' zegt Roos met koele stem.

'Denk je?'

'Naar mij wil je toch niet luisteren. En naar Frenk ook niet, heb ik inmiddels begrepen.'

> **Nora.** Spiritueel therapeute. Stijn werd op haar bestaan gewezen door Roos, na zijn auto-ongeluk/drank- en seksbacchanaal/ruzie met Carmen. Voorspelde dat Carmen spoedig zou sterven. Die dag begon Carmens sterfbed en kregen Carmen & Stijn alsnog een *Happy End*.
> Quote: *'Nu krijg je de kans om je vrouw terug te geven wat je al die jaren van haar gekregen hebt.'*

'Zo. Dat is lang geleden.'

Nora geeft me een hand en kijkt me aan met haar ogen die tot achter in mijn hersenpan lijken door te dringen.

'Ja,' antwoord ik verlegen. 'Ik dacht, het wordt weer eens tijd.'

Ze glimlacht. 'Loop maar vast door. Je weet de weg. Wil je thee?'

'Graag.'

Ze legt haar hand op mijn schouder. 'Ik vind het fijn dat je er bent, Stijn.'

'Dank je. Ik ook, geloof ik.' Het is een ongekende weelde, op bezoek bij een vrouw bij wie ik geen enkele kans loop om ermee in bed te belanden. Nora is nog minder aantrekkelijk dan Anne. Een rustgevende gedachte.

'Hoe kwam je zo op het idee om me weer eens met een bezoek te vereren?' roept ze vanuit de keuken.

'Door Roos. Voor ik het vergeet: je moet de groeten van haar hebben.'

'Dat is lief,' roept Nora terug. 'Hoe gaat het met haar?'

'Ach...' Er is niet veel veranderd in Nora's spreekkamer. Alleen dat schilderij met die waterval en dat paarsachtige licht is volgens mij nieuw in de collectie. Er staat muziek op. Ik pak een cd-hoesje. Een neger met een enorme fluit. Hoe heet zo'n ding ook alweer. Een uit de klauw gelopen toeter van anderhalve meter lang.

'Ze had zeker gehoopt dat je haar vriendje zou worden na de dood van Carmen?' galmt het vanuit de keuken.

Dat scheelt altijd een hoop tijd, bij die spirituele types.

'Ja. Het is echt een schat, hoor, maar ik moet er niet aan denken om een vriendin te hebben. Dat claimerige, ik krijg er bultjes van.'

Nora grinnikt. 'Tja, ze houdt misschien iets te veel van je om je los te kunnen laten.'

'Dat zal ze dan toch moeten leren.'

'Dat ben ik met je eens.'

'Fijn.'

'Vind je het mooie muziek?' vraagt Nora, als ze met een dienblad met een kan thee, twee kopjes en een schaal koekjes binnenkomt.

Ik leg snel het cd-hoesje neer.

'Eh... beetje zweverig, hè?' antwoord ik.

'Het is van de Aboriginals,' lacht ze.

'Ah. Ik kon het al niet precies thuisbrengen.'

Ze lacht en schenkt thee in. 'Je mag wel zeggen dat je het niet mooi vindt, hoor.'

'Op Ibiza draaien ze andere muziek.'

Ze lacht weer. 'Dat geloof ik best.' Ze gaat zitten. 'Was het moeilijk om een vlucht terug te krijgen? Iedereen wilde zeker zo snel mogelijk naar huis?'

Gisterochtend, in de eerste trein van Düsseldorf naar Amsterdam, ontving ik een sms van Natas. Paul Oakenfold in Pacha was helemaal *da bomb*, schreef Natas, met drie uitroeptekens en veel gevoel voor actualiteit.

'Het kostte wat moeite om terug te komen.'

'Tja. Maar je bent gelukkig weer bij je kleine meisje.'

Ik knik. Toen ik Luna gisteren ging ophalen in Maarssen, lag ze net in bed voor haar middagdutje. Ik schoot meteen vol toen ik haar zag. Ze was in een diepe slaap, onwetend van wat de mensheid elkaar aandeed.

'Hoe moet het verder, Nora?'

'Met jou of met de wereld?' glimlacht ze.

'Laten we met mij beginnen,' grinnik ik. 'Dat lijkt me het snelst.'
Ze schudt haar hoofd. 'Niets gaat snel, Stijn. Als je dat zou beseffen, ben je al een heel eind.'

Ze kijkt me langdurig aan. Ik durf niet terug te kijken.

'Zullen we het eens over seks hebben?' vraagt ze ineens.

Nee, hè, zij ook al? Dat er de laatste maanden NEUKEN op mijn voorhoofd staat geschreven, wist ik, maar als zelfs een spiritueel adviseur al denkt dat ze... Ik moet er niet aan denken. Om mezelf een houding te geven, neem ik snel een slok van mijn thee.

'Weet je dat er bij seks een enorme uitwisseling van energie is?'

'Als het goed is wel, ja,' mompel ik. Vergeet het maar, ouwe heks.

'Maar het is nu niet goed. Je wordt leeggezogen. Van alle kanten.'

Ik voel dat ik begin te blozen.

'Leuke woordspeling voor een oud mens, hè?' zegt ze ondeugend. 'Volgens mij heb jij even genoeg aan jezelf. Rouw kost energie. Je dochter vraagt energie. Maar de seks kost jou ook bergen energie. Hoe meer verschillende partners jij nu hebt, hoe meer jouw energie weglekt. En al zie jij het anders: je krijgt er in deze fase niets voor terug.'

Ja, nou moet je ophouden. Dat zou ik ook zeggen als ik zelf nooit een beurt zou krijgen.

'Ik kan het ook fout hebben, hoor. Misschien voel je je juist energieker als je net met iemand naar bed bent geweest?'

'Hm.'

'En drugs?'

'Wat is er met drugs?'

'Gebruik je veel drugs de laatste tijd?'

'Mwa. Heel af en toe. Voor de gezelligheid.'

Ze kijkt me aan.

Ik voel dat ik opnieuw moet blozen. 'Het gaat geloof ik niet zo goed met me, Nora.'

'Je vrouw is dood, Stijn,' zegt Nora zacht, 'met seks en drugs haal je haar niet terug. Echt niet.'

Mijn ogen beginnen te lekken.

'Weet je waar jij last van hebt, Stijn?'

Ik schud nee.

'Leedmijd.'

'Leedmijd? Dat klinkt als beestjes in je schaamhaar...'

'Hoe lang is Carmen nu dood?'

'Drie maanden, negenentwintig dagen en zeventien uur.'

'En wanneer begin je met rouwen?'

O, krijgen we die. 'Kom op, Nora... Moet ik mezelf opsluiten en net doen of ik niet meer van het leven kan genieten nu Carmen er niet meer is? Ik heb godverdomme thuis in koeienletters Carpe Diem op de muur staan! Denk je nu echt dat Carmen van me verlangt dat ik met een morele rouwband om ga lopen?'

Nora kijkt me onbewogen aan.

'Je kunt je gevoel niet blijven negeren, Stijn. Je kunt wel blíjven proberen te vluchten, maar je kunt niet vluchten van jezelf.'

'Maar wat dan?'

'Wat zou je echt willen?'

'Rust.'

Ze pakt mijn handen vast. 'Wat houdt je tegen?'

'Alles. Drank. Al die vrouwen. Stappen. Drugs. Amsterdam. Ik zou diep in mijn hart wel gewoon weg willen, zo ver mogelijk weg van alles, naar eh... weet ik veel, Thailand, Australië.'

'Doe dat dan.'

'Ach, dat kan toch helemaal niet...'

'Waarom niet?'

'Heb je even? Luna, mijn werk, mijn vrienden.'

'Luna kun je meenemen.'

'Luna en ik? Zie je het voor je?'

'Zij zou het fantastisch vinden, samen met haar vader op reis.'

'Maar dat is toch ook vluchten? Stijn redt het niet in Amsterdam en daarom gaat hij maar weg.'

'En al die vrouwen om je heen zijn geen vlucht?'

'...'

'Er is er maar één die je kan helpen.'

'Wie dan?'

'Luna.'

'Luna?'

'Luna.'

'Maar ik besteed ook heel veel tijd aan Luna, hoor,' antwoord ik geschrokken. 'We doen best veel samen, we zijn samen naar kleuterballet geweest en... Zeg, vind jij mij een slechte vader of zo?'

'Nee. Maar ik zei dat zij jóú kan helpen.'

'Luna is drie, hè...'

'Dat weet ik. En toch geeft zij je iets wat al die andere vrouwen je niet kunnen geven.'

'Wat dan? Ik kan toch zeker niet van mijn bloedeigen dochter verlangen dat zij mij gaat helpen terwijl zij zelf net haar moeder verloren heeft?'

'Luna kan jou leren hoe fijn het is om van iemand te houden. Je weet toch nog wel hoe fijn het voelde om voor Carmen te zorgen in haar laatste weken?'

Ik knik.

'Luna kan je dat gevoel weer teruggeven. Door voor haar te zorgen ontdek je de kracht van de liefde weer. Zo simpel is het.'

'Maar daarvoor hoef ik toch niet naar de andere kant van de wereld? Alsof je op de Veluwe geen rust kunt vinden. Bovendien ben je er vast veiliger. Wedden dat er niet één terrorist is die weet waar de Veluwe ligt?'

Nora lacht. 'Is Carmen eigenlijk weleens in Australië geweest?'

'Carmen? Eh... Ja. In het jaar voor ze mij leerde kennen. Toen is ze heel Australië doorgetrokken, in haar eentje. Waarom?'

Ze pakt het cd-hoesje met de didgeridoo achter zich vandaan. 'Nu snap ik waarom ik ineens de behoefte had deze cd op te zetten.'

Ze overhandigt me het cd-hoesje. 'Hier. Voor jou.'

'Wat bedoel je daar nu weer mee? Is er iets wat jij wel weet over Carmen en ik niet?'

'Neem hem nou maar gewoon mee.'

Ik staar naar het hoesje. Australië. Klinkt wel goed. Echt iets voor een mooiweeravonturier in bezit van kind. Lekker weer, normaal eten, normale mensen, normale wc's.

'Tja, het klinkt aantrekkelijk, moet ik zeggen,' mompel ik.

'Ik denk dat je iets gaat vinden in Australië.'

'O? Goh. Zo'n fluit van dat cd-hoesje? Of een bosneger, om mee terug te nemen als au pair? Of De Vrouw Die Mijn Leven Gaat Veranderen?'

Ze glimlacht en zwijgt.

'En mijn werk dan? Ik ben net terug uit Ibiza. Ik heb drie maanden lang niks gedaan. Ik kan Frenk toch niet weer in de steek laten?'

Hoewel. Dat probleem heeft zichzelf opgelost op Ameland.

'In het leven moet je soms durven springen, Stijn. Kom, het is tijd.' Ze staat op, schuift haar stoel naar achter en haalt de cd uit de cd-speler. 'Hier. Vergeet die niet.'

Ze opent de deur van haar spreekkamer en loopt voor me uit de hal in. 'Sterkte, Stijn,' zegt ze, geeft me een hand en opent de deur. 'Goed op je dochter passen. Het komt goed. De liefde is dichtbij.'

In de auto kijk ik naar het cd-hoesje. Achter de Aboriginal zie ik een onmetelijke vlakte. Een heel werelddeel met niks. Knappe jongen die daar wat vindt. En daar moet ik naartoe. Met Luna. *Ik zal goed voor je dochter zorgen.* Maar dag in dag uit alleen met Luna...

Ik zucht en duw de cd met didgeridoomuziek in de wisselaar.

Kolere, zeg.

Je muzieksmaak wordt er niet beter op als je dood bent.

DERTIG

'Met Anne.'

'Hoi, met Stijn.'

'Hoi! Hoe is het met Luna?'

'Uitstekend!'

'Wat heeft ze het hier leuk gehad, hè?'

'Ja, ze had het er net bij het eten nog over...'

'Nou, als je haar nog een keer kwijt wilt, dan breng je haar maar, hoor, wij vinden het hartstikke gezellig als ze hier is.'

'Nou, daar bel ik net voor, want ik denk dat dat voorlopig niet het geval zal zijn...'

'Vanwege het terrorisme? Ja, ik kan me voorstellen dat je voorlopig niet meer weggaat, ik zeg net tegen Thomas: mij zien ze niet meer in een vliegtuig.'

'We gaan naar Australië.'

'Pardon?'

'We gaan naar Australië. Eerst een weekje Thailand, en dan reizen we door naar Australië.'

'Wie zijn we?'

'Luna en ik.'

'Met z'n tweeën? Jij en Luna?'

'Ja.'

Stilte.

'Hoe kom je daar nou weer bij?'

'Ik denk dat het goed is als ik een tijdje wegga.'

'Met Luna? Ik weet niet of ik dat nou wel zo'n goed plan vind, hoor... Daar moeten we het nog maar eens over hebben.'

'Anne?'

'Ja?'

'Ik heb vanmiddag geboekt. Over een week vertrekken we.'

EENENDERTIG

Van: Frenk@strategicandcreativemarketingagencymerkinuitvoering.nl
Verzonden: 16 september 2001
Aan: Stijnvandiepen@hotmail.com

Hoi,

Heb gehoord dat je naar Australië gaat. Het eerste wijze besluit in maanden. Ik hoop dat je daar jezelf terugvindt.

Sterkte,
Frenk.

PS: Zorg in ieder geval goed voor Luna, godverdomme.

TWEEËNDERTIG

Nu ik eenmaal heb geboekt, kan ik haast niet wachten. Ik vertel iedereen die het horen wil dat Luna en ik op reis gaan. Over vier dagen vliegen we. Eerst zullen we een weekje in Thailand blijven om de reis voor Luna wat te breken, en dan vertrekken we voor onbepaalde tijd naar Australië. Vanuit Bangkok vliegen we op Cairns, in het noordoosten van Australië, in Queensland. Daar pikken we onze camper op en dan gaan we helemaal langs de kust naar het zuiden.

Toch wil ik per se eerst een paar nachten in Port Douglas verblijven, ten noorden van Cairns. Carm is ook in Port Douglas geweest, ontdekte ik in haar fotoalbum. Ze zag er geweldig uit, toen, en de locaties waar ze op de foto staat, doen niet voor haar onder. Veel blauwe zee, palmbomen en strand, een of ander wit kerkje aan zee en foto's van een groep duikers in zee. Allemaal Port Douglas, staat erbij. Verder foto's van Sydney, the Great Ocean Road en van Byron Bay, een plek waar ik nog nooit van heb gehoord, maar die, volgens de tekst die ze onder de foto heeft gekrabbeld, *Australia's #1 love and peace spot* is.

Als ik in de keukenla op zoek ga naar een stanleymes om enkele foto's los te pulken, gaat de bel.

Anne staat op de stoep. Ze stamelt dat ze een beetje te snel heeft gereageerd aan de telefoon.

'Ik zou het zelf nooit doen, zo'n verre reis met mijn kinderen, maar Carmen had het vast en zeker een superidee gevonden.'

Ik omhels haar. 'Kom binnen, ik ga even koffiezetten.'

Luna juicht als ze Anne ziet en springt meteen bij haar op schoot.

'Ik heb een cadeautje voor je meegenomen,' zegt Anne. 'Voor als je straks met papa op reis bent.'

Ze geeft Luna een pakje. Er zit een felgekleurde walkman in met allemaal grote knoppen. Uit haar tas haalt Anne een cassettebandje, stopt dat in de walkman en zet Luna de koptelefoon op. Ik luister mee, mijn hoofd tegen dat van Luna gedrukt.

'Er was eens een klein meisje. Iedereen vond haar lief, maar haar grootmoeder hield het allermeest van haar. Grootmoeder had haar een rood mutsje van fluwee-...'

'Dat is oma!' roept Luna verrast uit.

Ik ben ontroerd als ik hoor wat Anne allemaal heeft gedaan. Ze is iedereen langs geweest, gewapend met een sprookjesboek van Lindsey, en heeft al onze vrienden een sprookje laten inspreken. Thomas staat erop met 'De rattenvanger van Hamelen'. Zelf heeft ze 'Doornroosje' voorgelezen. Ze heeft zelfs Ramon zo ver gekregen. Zijn keus viel op 'De wolf en de zeven geitjes'. Voor ze hierheen kwam is ze met een cassetterecorder langs Merk in Uitvoering gegaan. Maud deed 'Het meisje met de zwavelstokjes' en Natas, net terug uit Ibiza, giechelend een versie van 'Sneeuwwitje'. Ik slik als ik hoor dat zelfs Frenk erop staat. Hij heeft 'Pinokkio' ingesproken.

Ik strek mijn hand uit, over de tafel en streel over haar arm. We kijken naar elkaar en zeggen even niets.

'Ik heb nog wat bij me,' fluistert Anne, terwijl Luna met open mond luistert naar Roodkapje *by* Carmens moeder.

'Dit moet je maar ergens in je bagage doen waar Luna het niet ziet.'

Ze pakt eenzelfde antroposofisch knuffelpopje als Luna eerder van haar heeft gekregen en stopt het me onder tafel toe. 'Ik zag dat het haar favoriete slaapknuffel is geworden. Een m.a.'tje: altijd handig, een reservepopje. Je wil niet weten wat er gebeurt als een kind haar slaapknuffel ergens kwijtraakt.'

Als Anne vertrokken is, peuter ik met het stanleymes voorzichtig een paar foto's los en leg ze bij mijn bagage. Het heeft wel iets, met Luna dezelfde plekken zien waar Carmen was in het jaar voor ze mij leerde kennen.

Net of ze er een beetje bij is straks.

DRIEËNDERTIG

Roos heeft een cd'tje voor me meegenomen, *Play* van Moby. En Sesamstraat-memory in reisformaat, voor Luna. Luna vertelt Roos over de sprookjescassette van Anne. Roos krijgt er tranen van in haar ogen. Ik opper voorzichtig dat Anne het sprookjesboek hier heeft achtergelaten, 'voor als er nog andere mensen komen die Luna kennen'. Roos zegt dat ze haar eigen voorleessessie graag live wil doen en vraagt of ze Luna vanavond naar bed mag brengen.

Als ze beneden komt, vertelt ze dat het 'Hans en Grietje' is geworden.

Het belooft een emotionele avond te worden. Met haar advies om weer naar Nora te gaan, heeft ze indirect zelf het einde van het duo Stijn & Roos, voor zover dat ooit officieel heeft bestaan, ingeluid. Mijn vertrek uit Amsterdam betekent dat het definitief over en uit is tussen ons.

Na het eten belanden we op de bank. Ik zet de cd van Moby op. Roos komt met haar hoofd op mijn schoot liggen.

'Zul je voorzichtig zijn, met al die aanslagen?' vraagt ze, haar ogen gesloten.

Ik antwoord zacht dat ik heel goed zal oppassen en streel haar haren. We zwijgen.

Moby zingt 'Why Does My Heart Feel So Bad'. Ik zie een traan over haar wang biggelen.

Dan opent ze haar ogen. 'Ik wil nog één keer met je naar bed,' fluistert ze.

VIERENDERTIG

Mijn slaapkamerraam staat halfopen. De wind doet de gordijnen wapperen.

Ik vertel Roos waar ik met Luna allemaal naartoe wil in Australië en Thailand. Ik weet dat het haar pijn doet om mijn plannen zo expliciet te horen, maar het is het enige wat ik kan bedenken om deze avond niet weemoedig te laten eindigen.

Steeds als ik het de afgelopen anderhalf jaar moeilijk had, vluchtte ik naar Roos. Toen ik het niet meer uithield bij Carmen, na het auto-ongeluk vlak voor Carmens dood, in de eerste weken na Carmens dood, na de xtc-, wtc- en coke-ellende op Ibiza, steeds was Roos mijn emotionele vluchtheuvel.

Maar het is te gemakkelijk, steeds weer naar Roos. Naar haar veilige warmte. Nu we hier naakt in elkaars armen liggen, voel ik dat ik dat het meest van alles zal missen.

'Over een paar dagen zit je daar al,' onderbreekt Roos mijn gedachten, terwijl ze met haar vingers door mijn borsthaar woelt. Haar stem trilt.

'Ja...' zeg ik zacht.

Roos begint zacht te huilen.

Ik zou haar willen troosten, zeggen dat ik over een paar maanden alweer terug ben, maar ik weet dat het tussen ons nooit meer hetzelfde zal zijn. Roos en Stijn zonder seks, dat is sciencefiction, dat hebben we ondervonden toen Carmen nog leefde. Alleen knuffelen? Een vriendschap die gedoemd is te mislukken. We kunnen niet van elkaar afblijven. Als ik haar zoen, voel ik automatisch haar tong naar binnengaan. Als ik haar vastpak glijden mijn handen als vanzelf naar haar billen, haar heupen, de rondingen van haar borsten. Wij zullen nooit platonisch met elkaar om kunnen gaan.

Ik moet er niet aan denken dat dit de laatste keer is dat ik haar warmte voel.

Wat zou ik graag nog een paar dagen of een week met haar op vakantie zijn gegaan. Als afscheid. Als ik alles van tevoren had geweten, had ik dat gedaan in plaats van met die mafkezen naar Ibiza.

Ineens krijg ik een superidee.

Als ik nou dat luxe resort in Koh Samui, dat ding van die kennis van Frenk, waar hij het ooit over had, eens boek. Daar hebben ze vast wel een babysitservice. Van de overkill aan drank, drugs en vrouwen in Amsterdam, naar een relaxed weekje Koh Samui, en dan het diepe in. Zo zou ik er geleidelijk aan kunnen wennen om dag en nacht met Luna te zijn.

De woorden floepen uit mijn mond.

'Ga lekker de eerste week met ons mee naar Thailand. Als afsluiter.'

Roos tilt haar hoofd op en kijkt me aan alsof ze een nijlpaard ziet punniken.

'Doe normaal!'

Normaal? Briljant! Heb ik Thailand niet steeds als een tussenstation beschouwd? Het echte werk – geen idee wat dat moet zijn, maar toch, zo voelt het – begint toch in Australië?

Eén weekje met z'n drieën, op een reis van een paar maanden. Een mooi einde, voor alles wat we voor elkaar hebben betekend. Wat maakt het uit.

'Waarom niet?'

'Meen je dit nou?'

Ik kijk zo te zien heel besluitvaardig, want haar ogen beginnen te twinkelen. Ik lieg dat ik dit al eerder heb bedacht en dat we morgen maar snel moeten kijken of er nog wel vluchten zijn.

'Morgen?' gilt ze, 'maar jullie vertrekken overmorgen al. Ik ga nú kijken!' Ze omhelst me, springt uit bed en trekt mijn badjas aan.

'Zit er een wachtwoord op jouw pc?'

'Eh... ja...'
'En dat is?'
'Carmpje.'

Als ze de trap af loopt, begin ik te piekeren. Is dit nou wel zo'n goed plan? Hoe moet ik dit nu weer aan iedereen uitleggen? Ik staar naar het plafond.

'Bijna alles zit vol,' hoor ik haar teleurgesteld roepen.

Ik betrap mezelf op een voorzichtig gevoel van opluchting. Het was ook een belachelijk, impulsief idee. Zachte heelmeesters. Uitstel van executie. Het had alleen maar een deceptie kunnen worden. Poeh.

Een kwartier later komt Roos de slaapkamer in rennen, met een stapel geprinte A4'tjes in haar hand. Ze staat te stuiteren naast mijn bed.

'Ik heb een vlucht naar Bangkok gevonden,' zegt ze stralend, 'één dag later dan jullie vlucht.'

'Ah. Mooi.'

Ze kijkt me vragend aan. 'Weet je het echt heel zeker? Want dan ga ik morgen vrij vragen op mijn werk...'

Even twijfel ik. Ik kijk naar haar blije, verwachtingsvolle hoofd. Ze heeft rode wangen van opwinding.

'Ik weet het zeker,' lieg ik.

Roos zoent me, graait haar portemonnee uit haar jaszak, pakt haar creditcard en stormt de trap weer af.

'Anders zit deze vlucht zo meteen ook vol.'

Ik staar naar het plafond.

Change of plans dus.

Roos gaat mee.

VIJFENDERTIG

Roos laat er geen gras over groeien. Het bewuste resort heeft ze de volgende ochtend via Google binnen een uur gevonden. En geboekt. Kulay Pan Resort heet het en we hebben een suite aan zee, met een kinderkamer. Voor een bedrag waarvoor ik twee maanden langer in Australië had kunnen blijven. Ik heb amper meer iets in te brengen. Roos komt met een mee-neemlijst, er ontspint zich een discussie of we een malariaprik moeten halen, het regent telefoontjes, sms'jes en e-mailtjes met vragen, plannen en tips wat *we* allemaal mee moeten nemen.

We?, denk ik, we? Luna en ik gaan een paar maanden reizen, en jij mag een weekje mee.

Luna reageerde tot mijn opluchting wel oké. Ze vond het wel gezellig, met Roos erbij.

Maar er is een bijkomend probleempje.

Niemand weet ervan.

Toen Anne me vanochtend belde om me nog een lijst met moeder-lijke adviezen te geven, heb ik verzwegen dat Luna en ik in de eerste week gezelschap hebben van een vrouw. En Maud heb ik het ook niet durven zeggen, toen zij vanmiddag sms'te of ze nog iets voor Luna moest kopen, voor op vakantie.

Ik ben nog banger dat het uitkomt dat Roos meegaat dan dat ik ooit ben geweest om met Roos gezien te worden toen Carmen nog leefde.

Hoe moet ik in 's hemelsnaam verkopen dat ik uitgerekend Roos meeneem op mijn vlucht uit Amsterdam? Carmens moeder weet niet eens van het bestaan van Stijn & Roos. En om Anne nu te bellen met de mededeling dat ik me haar bezorgdheid alsnog heb aangetrokken en daarom besloten heb een vriendin mee te nemen, lijkt me ook geen goed idee.

Dus verzwijg ik het maar helemaal en vraag Roos hetzelfde te doen. 'Het ligt nogal gevoelig, snap je, vanwege Carmen en zo.'

De enige die me doorheeft is Natas. Nadat ik bij Merk in Uitvoering afscheid heb genomen van iedereen, op een middag dat Frenk op bezoek is bij een klant, fiets ik met haar over de Stadionweg terug.

'O, weet je wat je ook gaat missen?' vraagt ze.

'Nou?'

'Fucques les Balles! De dag na kerst.'

Ik schiet in de lach.

'Natas, om die dingen ga ik juist weg.'

'O. Maar zie je er niet enorm tegenop om vanaf morgen alleen met je dochtertje te zijn?'

'Natuurlijk zie ik daar tegenop.'

'Waarom neem je Roos eigenlijk niet mee?' zegt ze ineens enthousiast, zichtbaar trots op haar eigen ingeving.

Ik word van nul op honderd vuurrood. Stuurs kijk ik voor me uit.

Natas kijkt opzij en buldert het uit. 'Oehoehoe, Stijn! Ze gáát mee, hè? Roos gaat gewoon met jullie mee, hahaha...'

'Alleen naar Thailand,' antwoord ik verlegen. 'Eén weekje.'

'Hihihi... Die Stijn. Schatje toch, dat is toch gezellig!'

'Tas, vertel het alsjeblieft niet verder.'

'*My lips are sealed*,' zegt ze zangerig, sluit haar lippen met een denkbeeldige sleutel en gooit die theatraal over haar schouder.

We fietsen zwijgend verder.

'Weet je wat ik denk, Stijn?' zegt ze ineens, als we afscheid nemen, op de hoek van de Stadionweg en de Minervalaan.

Ik haal mijn schouders op.

'Ik denk dat Roos na Thailand gewoon met jullie meegaat naar Australië.'

Deel II
Stijn & Luna en Roos

Oh, wat hou ik van jou, denk ik in de hal / De hele
wereld is daar waar wij tussen staan / En een stem zegt:
willen alle passagiers / Voor de KL204 naar de uitgang
gaan / Dan ga je door de pascontrole / Je kijkt nog even
om en je zwaait naar mij / Ik glimlach, maar iets sterft in
mij / Want ik weet ook, nou is het echt voorbij

Peter Koelewijn, uit 'KL204 (Als Ik God Was)' (*Het Beste In Mij Is Niet Goed
Genoeg Voor Jou*, 1978)

EEN

Luna kijkt haar ogen uit. Vooral de tuktuks en de monniken in oranje gewaden hebben haar speciale belangstelling. Zelf ontbreekt het Luna ook niet aan aandacht. Ieder Thais serveerstertje, ieder vrouwtje dat achter een souvenirkraampje staat, wil haar aanraken. '*Oehoehoe joe pletty gul, hello!*' Het grootste verschil met Amsterdam tot nu toe is dat niet ík maar Luna hier door vrouwen wordt lastiggevallen. *Blondes have more fun.*

'Ben jij weleens hier geweest pap?'

'Ja. Eén keer.'

'Met mama?'

'Zonder mama.'

Jezus, wat een heisa was dat, voor Carmen eenmaal accepteerde dat ik een keer zonder haar op vakantie wilde. Terecht natuurlijk. Stijn drie weken naar Thailand was de kut op het spek binden.

'Waarom?'

'Waarom wat?'

'Waarom zonder mama?'

'Omdat ik eh... een keer alleen op vakantie wilde. Jij wilt toch ook weleens zonder mij spelen?'

'Nee.'

'Maar net vond jij het toch ook leuk om samen met die mevrouw van dat restaurant even naar de visjes te kijken?'

Ze schudt haar hoofd.

Verbaasd kijk ik haar aan. 'Hoezo niet?'

'Ik wil bij jou blijven.'

En ik maar denken dat ze al die aandacht wel leuk vond. Ik vond het juist zo schattig van dat Thaise meisje, dat ze Luna meenam om haar de grote vissen in het aquarium achter in het restaurant te laten zien. Kon ik tenminste eindelijk even rustig eten.

'She *klaai*,' lachte het meisje, toen ze Luna terugbracht. Ik dacht dat ze huilde omdat ze van die vis met die hondenkop was geschrokken.

Gelukkig komt Roos morgen aan. Anders zou ik in Thailand niet eens in mijn eentje kunnen gaan poepen.

TWEE

We zijn net een Happy Family.

We gaan met z'n drieën in zee, we gaan met z'n drieën eten, we gaan met z'n drieën naar een *real authentic traditional Thai dance performance*. Het is hier fantastisch.

Het Kulay Pan Resort is de hemel en je hoeft er niet eens eerst voor te sterven om er te komen.[13] Elke avond nadat een van ons tweeën Luna heeft voorgelezen uit *Jip en Janneke* zitten Roos en ik in onze ligstoelen op het terras voor ons appartement, en staren met onze wijntjes in de hand naar de zee.

Ik geniet van de rust. Roos wil eigenlijk wel wat van het eiland zien, maar ik hou vol dat er buiten haar lichaam hier op Koh Samui niks te bezichtigen is. Ze sputtert voor de vorm wat tegen, maar ze is dolgelukkig. Ze zegt dat het voor het eerst in anderhalf jaar is dat ik niet gejaagd ben.

Van Luna hoeven we ook nergens heen. Ze is in topvorm, sinds Roos er is. De hele dag is ze met haar emmertjes en schepjes in de weer op het strand, dat op twee keer struikelen van onze voordeur begint.

De seks tussen Roos en mij is super. Het komt waarschijnlijk doordat we beseffen dat dit de laatste keren zijn dat we seks hebben, want we zijn tot op het absurde af geil. We kunnen de hele dag niet van elkaar af blijven. Soms tel ik de minuten af tot Luna in bed ligt. We weten van gekkigheid niet wat we moeten doen in bed. Roos is wilder dan ooit tevoren. Ze wil geblinddoekt worden, ze wil vastgebonden worden aan de spijlen van het bed, ze wil alles.

Ik doe niet voor haar onder. Ik maak foto's van haar tieten, van

123

haar kut, van haar als ze me pijpt, van haar op haar knieën, geil achteromkijkend, terwijl ik haar neuk. Nu pas valt het me op dat van al die vrouwen na Carmen er niet een is geweest waarmee de seks zo verslavend lekker is als met Roos. Roos en Stijn, dat is totaalneuken, coïtus mechanica, linies die in en uit elkaar schuiven als een geoliede machine. Niks in de wereld ruikt zo lekker als haar kut als we samen seks hebben gehad. Wat een goddelijke chemie. De geur van Roos en Stijn is manna voor de neus.

En dan de anatomie. Elk bochtje, elk plooitje van haar binnenste klopt met elke ader, elke verdikking en kromming van mijn stijve pik. Ze zit als gegoten.

Kon ik bij de laatste Dolly niet eens meer klaarkomen, bij Roos ben ik sinds mijn zestiende niet zo vaak vroegtijdig gekomen als deze week. We moeten er allebei om lachen, als we nahijgend in elkaars armen liggen.

'We passen te goed,' zeg ik lacherig.

'Ja, en daarom ga jij volgende week naar Australië,' antwoordt Roos ineens sarcastisch.

DRIE

'Shit.'

Ik ben mijn mail aan het checken in de hotellobby.

Maud. Het valt niet mee bij Merk in Uitvoering. Frenk praat alleen met haar als het echt niet anders kan. Ze hebben elkaar nog niet één keer in de ogen gekeken. Of ik het telefoonnummer van Roos heb, ze wil graag een keer met haar lunchen deze week. Ze heeft wel behoefte aan een praatje, en Roos misschien ook wel, nu ik in Thailand zit en Roos in het herfstachtige Amsterdam.

Natas mailt dat ze zich per ongeluk versproken heeft toen Maud zei dat ze Roos al een paar keer had gebeld en gemaild, maar telkens niks terughoorde. Maud is flink over de zeik, aldus Natas. Nog een mazzeltje dat Maud even niet *on speaking terms* met Frenk is.

Maar het volgende mailtje is van Frenk. 'Waar ben je mee bezig, Stijn?' is het enige wat hij schrijft.

Ik sluit mijn hotmailaccount af en loop poepchagrijnig de hotel-lobby uit.

Of er soms iets is, vraagt Roos bezorgd, als ik terugkom op het strand, met een gezicht als Co Adriaanse na een vraag van Johan Derksen.

'Niks, behalve dat half Amsterdam weet dat jij hier bent.'

Mijn eigenwaarde, die ik langzaam leek terug te krijgen na de dappere beslissing om samen met Luna weg te gaan, is in één klap verdwenen. De magie van de reis is weg. We zijn geen Happy Family en we zullen nooit een Happy Family worden.

Ik begin mijn frustratie op Roos af te reageren. De lieve woordjes van de eerste dagen worden spaarzamer en vervangen door botheid. Door te beslissen waar we gaan eten zonder haar te vragen of ze het ermee eens is. Door te vragen of ze haar rotzooi straks eens wil opruimen omdat het binnen een enorme teringbende is. Door te zeggen dat ik kapot ben en geen zin heb in seks en dat Luna morgen vast weer zo vroeg wakker zal zijn. Door duidelijk te maken dat ik, en niemand anders, bepaal wanneer Luna haar speen en Popje krijgt, of ze haar bord wel of niet leeg moet eten en hoe laat ze naar bed moet. Als Roos zich ook maar even met Luna dreigt te bemoeien, werp ik haar een blik toe die afdoende is om haar het zwijgen op te leggen.

Nog pijnlijker is dat ze voor het eerst sinds ik haar ken niet meer mee mag doen met mijn emoties. Ik kan het gewoon niet meer opbrengen om bij Roos uit te huilen. Zodra iets mijn gevoel raakt, dan begin ik over iets anders, ga ik 'even een drankje bestellen' of moet ik plotseling 'enorm schijten' en verdwijn ik als een gek naar de wc.

Uiteraard heeft Roos me door.

'Is er iets?'

'Nee, hoezo?'

'Dat dacht ik.'

'Nee hoor.'

'Zeker?'

'Ik zég toch nee.'

Maar er is van alles, dat weet Roos ook. Luna hoeft maar een lief scheetje te laten of ik krijg al een brok in mijn keel. Of ze nu met overdreven bewegingen een Thaise danseres nadoet, in een vol restaurant mijn creditcard naar de serveerster brengt met een verlegen '*Ken wie pee?*' of met haar tong tussen haar lippen geconcentreerd zit te spelen met haar schepjes: het zijn geheide tranentrekkers.

Telkens volgen we hetzelfde patroon:

1. Ik onderbreek het gesprek dat ik met Roos aan het voeren ben.
2. Ik kijk naar Luna.
3. Ik blijf naar Luna kijken.
4. De rest van de wereld houdt op te bestaan.
5. Ik raak ontroerd en schiet vol.
6. Roos ziet het en raakt op haar beurt ontroerd, door mij.
7. Roos zoekt oogcontact met mij.
8. Ik negeer Roos en knuffel Luna.
9. Ik blijf Luna knuffelen.
10. Ik fluister in haar oor dat ik van haar hou.

Roos begint zich vervolgens ongemakkelijk te voelen, omdat het halve terras of restaurant meekijkt naar die knuffelvader en naar die moeder die daar maar een beetje bij hangt, als een reservespeler die voor de ogen van een vol stadion warmloopt en wanhopig oogcontact probeert te zoeken met de coach om te horen of ze eindelijk in mag vallen.

Dat mag ze niet.

Ze komt steeds dichter bij de terugzetting naar het tweede elftal, ver weg van het eerste, dat op het punt staat om af te reizen voor de finale van de wereldcup voor teams in Australië.

Probeer ik haar op deze manier terug te pakken, omdat ze zo gretig ja zei, toen ik in een moment van zwakte vroeg of ze meeging naar Thailand? Neem ik het haar kwalijk dat ze hier überhaupt is?

Hoe dan ook: het is dodelijk voor de sfeer in de ploeg. Roos valt buiten het team en ik doe steeds minder moeite om de schijn op te houden. Ze mag best voelen wat ik voel: dat we niet met zijn drieën op reis zijn, maar dat zij hier op visite is bij papa & Luna.

Mijn acties hebben effect. Roos wordt steeds chagrijniger en daardoor begin ik steeds meer uit te kijken naar mijn reis met Luna, straks in Australië. Opzichtig pak ik de Lonely Planet van Queensland, het deel waar we het eerst heen gaan, en zet er grote pijlen en omcirkelingen in.

De Lonely Planet van Thailand is na een week nog ongeschonden en onbeklad.

VIJF

Het is onze laatste dag op het eiland. Om de boel wat op te vrolijken heb ik voorgesteld naar The Monkey Farm te gaan.

'Wil jij de banaan geven?' vraag ik aan Luna en reik haar een van de banaantjes aan die we even daarvoor voor tien bath bij de kassa hebben gekocht.

Luna haalt haar schouders op. Dat betekent nee in Luna-taal, maar ik heb me voorgenomen dat ze wat stoerder moet worden met dieren. Straks, in Australië, stikt het van de dieren, heb ik gelezen, en dan is het jammer als je kind niet de camper uit durft te komen omdat er zich een vriendelijke kangoeroe bij de ontbijttafel heeft gemeld.

'Toe maar,' zeg ik, 'geef de banaan maar aan het aapje.'

'Weet je het zeker?' fluistert Roos. 'Ik vind dat het er hier allemaal niet zo professio-...'

'Aaaaaaaauuuuuuuuu**WWW!!!**'

Het aapje vond het allemaal wat te lang duren en heeft zijn tanden in de banaan gezet. En in de vinger van mijn verbouwereerde dochter. Luna schreeuwt het uit.

Het bloed gutst uit de vinger.

Roos herstelt zich als eerste.

'Stijn, je T-shirt!!!'

'Wat maak jij je nou godverdomme druk om een T-shi-...'

'Doe je T-shirt uit! Om haar vinger!'

Ik trek mijn T-shirt uit, wikkel dat om Luna's handje, til haar op en begin te rennen. Ik heb geen idee waar ik heen ren, denken is lastig als je dochter het uitgilt van de pijn.

'Help! Help!' roep ik in paniek.

Roos kijkt om zich heen.

'Daar! Daar!' gilt ze, 'die man in dat uniform daar!'

Met mijn dochter in mijn armen hol ik op een Thaise oppasser af. De man lacht als hij ons aan ziet komen rennen. *'Yes Suh, wot can aai doe fojoe?'* vraagt hij vriendelijk, tot hij het T-shirt, dat inmiddels doordrenkt is van het bloed, ziet. *'Come! Fihst Aid!'* roept hij en wijst met drukke gebaren naar een gebouwtje bij de kassa's. We rennen achter de Thai aan. Uit mijn ooghoek zie ik nog net hoe twee Japanse toeristen hun camera's in stelling brengen.

Even later staan we hijgend (Roos en ik) en schreeuwend (Luna) in een kamertje achter de kassa's. Voorzichtig wikkel ik het T-shirt van Luna's vinger af. Onder de bebloede stof komt een open vleeswond vandaan. Ik kijk snel weg. Kanker ziet er minder eng uit dan dit.

De Thai haalt een medicijnkistje uit een kast en wikkelt geroutineerd een verband om de vinger.

'Ospitaah in town. Faif minut fhom heah,' zegt hij geruststellend. *'No phoblem.'*

Ik zou weleens willen weten hoe iets eruit moet zien als een Thai zegt dat het wél een probleem is.

ZES

Het ziekenhuis van Koh Samui is een modern gebouw, dat er op het eerste gezicht redelijk betrouwbaar uitziet. Betrouwbaarder dan het Lucas-ziekenhuis. En het is wit. Dat geeft de burger moed. Ziekenhuizen moeten wit zijn.

'Wacht jij hier?' vraag ik zachtjes aan Roos.

'Zeker?'

'Ja.'

In de behandelkamer van de Eerste Hulp hou ik mijn dochter stevig vast. Ik trek haar nog dichter tegen me aan, als de arts een injectienaald klaarmaakt.

'Auw... Auw... Auwauwauw!'

De tranen lopen over Luna's wangen als de naald haar vinger in gaat. Ik denk aan het geprik in Carmens handen, voor iedere chemokuur. Ook nu zou ik de pijn willen overnemen, maar weer kan ik niets anders doen dan Luna's hand vasthouden.

Ik zal goed voor je dochter zorgen, gonst het in mijn hoofd. Als ik voor de verandering eens wél naar Roos had geluisterd, dan was dit niet gebeurd, verdomme. Wat doe ik hier ook, op dit kuteiland met z'n kankerpalmbomen en die kloteapen. Waarom moest ik ook zo nodig weg uit Amsterdam? Daar was niemand op het idee gekomen om Luna in haar vinger te bijten. En dan moeten we nog naar Australië, met al zijn slangen, schorpioenen, krokodillen en levensgevaarlijke insecten.

'*Aai biegin. Joe howd huh hend.*'

Ik zie dat hij naald en draad pakt. Ik hou Luna's hand stevig vast en zie de angst in haar ogen, ogen die me aankijken met een papa-waar-

om-doe-je-niksblik. *Ik zal goed voor je dochter zorgen.* Straks heeft die aap nog een ziekte ook. Fuck... dat hiv-virus komt toch van apen?! Ik kijk naar Luna's gezicht, terwijl ze gehecht wordt. Ze ziet wit.
De dokter knikt. '*Aaim leddy.*'
'De dokter is klaar, schatje.' Ik streel Luna over haar wang. Ze reageert amper.
'*Monki fwom Monki fawm?*'
Ik knik.
'*Fawm no koet. Deenzjelus. Shee hes to hef fouh moh injections.*'
Dat ga ik nog maar even niet vertalen.
'*Evely week. Against Leebius.*'
Leebius. Straks opzoeken op internet.
'*And eh... doctor... Is it possible the monkey had eh... hiv?*'
De dokter lacht. '*No. Eets only when fukkie fukkie.*'

Roos komt op ons afrennen en omhelst ons, zodra we de deur van de Eerste Hulp uit komen.

Ik verberg mijn hoofd in haar schouderholte en begin spontaan te huilen.

'Kom maar, lieverds,' zegt Roos. 'Kom maar...'

ZEVEN

'Luna, kijk, vliegtuigen met kangoeroes erop!'

'Waar dan, waar dan?' roept ze opgewonden.

Ik til haar op en wijs. 'Daar! Op die vliegtuigen, zie je ze?'

Ik wijs met mijn arm langs haar hoofd richting de Qantas-vliegtuigen, die buiten bij de vertrekpieren in terminal 2 op Bangkok Airport staan.

Luna tuurt langs mijn wijzende arm en knikt enthousiast. Met haar apenvinger, waar een dik verband omheen is gewikkeld, wijst ze naar een Boeing 767.

'Is die grote ons vliegtuig?'

'Ik denk het wel,' knik ik, en ik betrap mezelf erop dat ik net zo kinderlijk opgewonden ben als mijn driejarige dochter.

Roos doet haar best enthousiast mee te lachen.

'Over een paar dagen zien we misschien wel echte kangoeroes.'

'Échte kangoeroes?'

Luna kijkt me argwanend aan.

'Ja.'

'Bestaan die dan echt?'

Dat krijg je ervan als je in de stad woont.

Ik knik.

'En bijten die?'

Tijdens de vlucht gisteren van Koh Samui naar Bangkok en de taxirit naar ons hotel was Luna zo stoned geweest als een Italiaanse coffeeshoptoerist. Daarna was ze even wakker geworden, tijdens het eten in het Sukothai, het meest luxe hotel van Bangkok, waarop ik ons drieën na alle ellende had getrakteerd. Het Sukothai is een mooioase aan een zestienbaansweg in Bangkok. Het enige dat een mens er zelf hoeft te doen is ademhalen, eten, drinken en poepen.

Vanaf het moment dat Luna opnieuw in slaap was gevallen, hadden Roos en ik op bed liggen praten. Ik had via de roomservice een fles Dom Perignon besteld en zei dat het me speet, van de laatste dagen. Roos zei dat het toch goed was dat ze mee was gegaan, om er bij ons beiden geen enkele twijfel meer over te laten bestaan dat Stijn en Roos *over and done* waren. Ze lachte alsof ze net een goede mop had verteld en zei dat ze nu met me naar bed wilde. Als ik daar tenminste nog wel interesse in had. Ik zei dat mijn interesse keihard omhoog stond en dat het maar goed was dat ik een *family room* met een eigen vertrek voor Luna had geregeld.

Over een dik uur vertrekt ons vliegtuig. Roos blijft nog vijf dagen in Bangkok, voor ze naar Amsterdam teruggaat. Ze wil ergens een goedkoop guesthouse boeken en dan ziet ze wel verder, zei ze. Misschien nog wat toeristische dingen doen. Grand Palace, floating market, Jim Thompson House.

We lopen naar de bar in terminal 2. Het is een Engelse pub, met vloerkleden op de grond, veel donker hout en een groep luidruchtige mannen in XXXL T-shirts. Ik bestel een Guinness voor mezelf, een flesje water voor Roos, een appelsap en een zakje chips voor Luna.

Ik voel dat Roos me met haar ogen volgt als ik richting de bar loop. Als ik wacht op mijn bestelling kijk ik achterom. Luna zit met open mond naar de sprookjescassette in haar walkman te luisteren. Soms grinnikt ze. Ik zie Roos uitdrukkingsloos naar haar kijken.

Nog vijftig minuten. Ik tel de minuten af zoals vroeger op school, tijdens Duits.

Ik kom terug met de drankjes en de chips.

'Mmmm!' schreeuwt Luna vanonder haar koptelefoon, 'chips!'

Ik schiet in de lach. Roos reageert niet.

'Wel lekker hoor, Guinness.'

'...'

'Jij een slok?'

'Nee.'

'Ook niet proberen?'

Ze schudt geïrriteerd haar hoofd.

Nog drie kwartier.

Ik lees de tekst achter op het zakje chips.

Veertig minuten.

De walkman springt af.

'Pap, kun je het bandje omdraaien?'

'Natuurl-... eh, weet je, luister straks maar verder. Dat is wat gezelliger, nu Roos nog bij ons is.'

Ze begint te mokken.

Ik kijk haar corrigerend aan. 'Luna...'

Vijfendertig minuten.

'Als je morgen wakker wordt in het vliegtuig, zijn jullie in Australië,' zegt Roos.

Luna knikt.

'Heb je er zin in?'

Luna knikt hevig.

Roos draait zich weer naar mij.

Ik zie dat ze het moeilijk heeft. Snel een ander onderwerp.

'En jij? Heb jij nog een beetje zin in die paar extra dagen hier?'

'Best wel,' zegt ze stoer.

Een halfuur.

'En ga je nog naar die floating market?'

'Weet ik niet. Als ik zin heb. Ik denk dat ik eens kijk of er wat leuke mensen zitten in dat guesthouse, om een keer te stappen.'

'Goed idee,' knipoog ik, 'misschien vind je wel een leuke vriend.'

'Lollig hoor.'

Vijfentwintig minuten. Eerst naar Darwin vliegen en dan door naar Cairns. Daar de camper oppikken en dan naar Port Douglas.

Ik bekijk de folder van het reisbureau nog even. '*Where the Rainforest meets the Reef*' staat er. Het Great Barrier Reef ligt er op nog geen uur varen. Op de foto is het oerwoud slechts van een prachtige lichtblauwe zee gescheiden door een hagelwit strand, dat Four Mile Beach heet.

Twintig minuten. Mijn opwinding groeit met de minuut, een ongebreideld optimisme. Nu gaat alles goed komen. Papa & Luna. Camper. Vrijheid. Rust. Ruimte. Geen vrouwen. Strandtenten waar ze in Bloemendaal een puntje aan kunnen zuigen. BBQ's. Kangoeroes. Ik stop de folder terug.

Een kwartie-... *'Attention, passengers for flight QF204 to Darwin, your flight is now ready for boarding, please proceed to gate D-6.'*

'Ik eh... denk dat wij dan maar eens moeten gaan, hè.'

We lopen richting de deur.

'Daar. Pier D. Bij die deur.'

We lopen richting twee grote massieve schuifdeuren. Lichtbeige, met afgebladderde verf. Alsof er aan de andere kant een opslagplaats van afval is, in plaats van een pier op weg naar Australië. Waarom zijn die dingen niet gewoon van glas, zoals bij ons op Schiphol, zodat het afscheid minder definitief lijkt?

We stoppen op een paar meter van de deuren. Roos kijkt triest. Gelukkig huilt ze niet.

'Nou... eh... dat was het dan, hè,' begin ik.

Ik omhels haar. We zoenen elkaar. Ze opent haar mond. De laatste keer dat ik haar tong proef. Ze houdt me vast bij mijn achterhoofd en draait haar tong rond de mijne. Langzaam laat ze me los. Ik lach.

'Geil zoentje.'

Ze perst er een glimlach uit. 'Succes... samen.'

Luna steekt haar armen omhoog. Roos pakt haar op. 'Dag lieverd... Zul je lief zijn voor papa?'

'Ja.'

Hand in hand lopen Luna en ik naar de schuifdeur. We draaien nog een keer om. Ik geef een kushand. 'Dag...'

'Dag... Goede reis.'

'Ik zal je mailen.'

Roos schudt haar hoofd. Dan lopen Luna en ik door de afgebladderde schuifdeur naar de gate.

Vlak voor de deur weer dichtschuift, kijk ik achterom en vang nog een glimp op van een zwaaiende Roos.

Het laatste restje Amsterdam is gedeletet.

Deel III
Stijn & Luna

We have all the time in the world / Time enough for life
to unfold all the precious things life has in store / And
we got all the love in the world / And as time goes by
you will find we need nothing more / And we got all the
time in the world for love / Nothing more, nothing less,
only love / Only love

Fun Lovin' Criminals, uit 'We Have All The Time In The World'

(Copa Cabana Version, 1999)

EEN

Als ex-reclameman had ik het kunnen weten: in folders zien dingen er altijd mooier uit.

De man die met ons meeloopt naar het parkeerterrein wijst naar een ding tussen twee grote campervans in. Het lijkt net of die van ons ondervoed is.

Ik kijk mijn papieren van het Amsterdamse reisbureau na, maar het is 'm echt. Een Nissan Campervan. 1,69 m bij 4,50 m bij 2,50 m. Buitenmaten. Carmen heeft meer ruimte.

Als ik achter de man aan de smurfmobiel binnenstap, stoot ik gelijk mijn knar. De man lacht. *'Ya'r o'right, mate?'*

Nee, kloothommel, als ik had geweten dat dit ding voor de komende maanden onze woonwagen zou zijn, had ik me wel bij de LOI ingeschreven voor een cursus Quasimodo. En dat terwijl er in Amsterdam Oud Zuid een huis van vierhonderd vierkante meter leegstaat, met een plafond van vier meter hoog.

Ik ben te moe om bij de receptie te informeren of er nog campers beschikbaar zijn die niet alleen op smurfen en Japanners berekend zijn. Misschien went het ding wel. De man legt uit hoe de banken moeten worden neergeklapt om ze slaapklaar te maken en hij laat zien waar de water- en gastoevoer zitten. Ik knik en knik. Naast de camper staat Luna gapend met haar in verband gewikkelde apenvinger over haar wang te wrijven. Straks heeft ze Popje niet meer nodig bij het slapen.

Als de man me de sleutels en een *'G'day, mate'* heeft toegeworpen, gooi ik onze koffers achterin, til Luna in de cabine en stap zelf aan de andere kant in.

141

Het stuur ontbreekt.

Met een rood hoofd verwissel ik van plaats met Luna en verdwijn zo snel mogelijk uit het zicht van de man. Ik zie in het achteruitkijkspiegeltje dat hij me hoofdschuddend nakijkt.

Daar gaan ze. Papa de clown en Mamaluna.

TWEE

Overal waar Engelsen ooit voet aan land hebben gezet, hebben ze er een potje van gemaakt met dat linksrijden. Levensgevaarlijk is het.

Gelukkig laten we de ochtendspits van Cairns snel achter ons. De zon schijnt volop en de route naar Port Douglas is prachtig. De weg slingert langs ravijnen en kliffen. Als ik even opzij durf te kijken zie ik dat de zee tientallen meters onder ons ligt. Luna ziet niks. Het arme kind is na een paar minuten rijden al in slaap gevallen. Ze heeft alles bij elkaar hooguit een uurtje of zes, zeven geslapen in het vliegtuig.

Het tijdsverschil begint zich ook bij mij te wreken, merk ik. Nog tien kilometer. Ik bijt op de binnenkant van mijn wang om wakker te blijven, zet het raam open, span mijn bovenbeenspieren tot het pijn doet en geef mezelf klopjes op mijn wang.

Ik denk aan de bullebak bij de douane. Straks op die camping ongetwijfeld weer tig Australische formulieren invullen en dan dit hele ding nog transformeren tot iets dat op een slaapplaats lijkt. Het lijkt wel werk in plaats van vakantie.

Ik rek me uit. Een douche zou geen straf zijn, ik ruik verdomme als een beschimmelde bunzing en ik heb een smaak in mijn mond alsof er de afgelopen uren een hagedis in mijn bek heeft zitten schijten.

Eindelijk. Welcome to Port Douglas. *Where the Rainforest meets the Reef.* Ik krijg weer goede zin. Morgen of overmorgen, dan ligt Stijntje in The Reef.

Carm was vijfentwintig toen ze hier was. Op een van de foto's die ik heb meegenomen, poseert ze in een duikpak op een boot. Sinds we in Nederland in het vliegtuig stapten, heb ik hem niet meer bekeken.

De hele Australië-trip is al een negen op de schaal van bedevaart. Bovendien ken ik hem toch uit mijn hoofd. Zelfs in dat duikpak kan je zien wat voor goddelijke tieten ze had. Volgens beproefd Carm-principe was de rits flink omlaag getrokken om een niet gering deel van haar fabuleuze rondingen aan het publiek te presenteren. Ze ziet er buitengewoon appetijtelijk uit, en dan priemen er ook nog eens twee knoerten van tepels door het duikpak heen. Op dat pak zit een embleempje met een naam die begint met een P, ontdekte ik met een vergrootglas. Op Google vond ik in Port Douglas een duikschool die Poseidon Reef Adventures heet. Wie weet is dat 'm. Op de foto staat Carmen naast twee jongens en een meisje. Carm heeft haar duik-bril in haar ene hand. In de andere houdt ze een sigaret nonchalant tussen haar vingers. Ze heeft gerookt van haar vijftiende tot de dag dat er kanker werd geconstateerd. Ik kon alleen al geil worden van de manier waarop ze haar sigaret opstak. Terwijl ik zelf niet rookte. Vooral als we in de auto zaten en Carm reed, vond ik het een gewel-dig ritueel. Dan draaide ze eerst het raam een stukje open en drukte vervolgens de sigarettenaansteker in het dashboard in. Daarna, altijd in die volgorde, pakte ze het pakje Marlboro Lights – later, toen de kanker was uitgezaaid en ze weer was begonnen met roken, werd het gewone Marlboro –, gaf een paar tikken met haar wijsvinger tegen de bodem van het pakje, nam er met haar mond een sigaret uit, gooide het pakje terug, pakte de inmiddels heet geworden aansteker uit het dashboard, stak daarmee haar sigaret aan en hield die dan even tus-sen die heerlijke volle lippen, waarbij ze de adem inhield om dat aan-stekerding terug in het dashboard te steken. En dan, als ze weer een hand vrij had, kwam dat moment waarop ik me al had verheugd zodra ze het pakje pakte: dan haalde ze die sigaret tussen wijs- en mid-delvinger uit haar mond, draaide ze haar gezicht een beetje schuin naar links, hield haar ogen op de weg, en blies de rook zo richting het openstaande raampje. Geweldig. Wat een vrouw.

Op de bijrijdersstoel is Luna wakker geworden. Met een huilerig stemmetje zegt ze dat ze zich niet zo lekker voelt. Ik kijk opzij. Ze ziet wit. Aan de apenvinger kan het niet liggen. Daar had ze in het vliegtuig hierheen al geen pijn meer aan, zei ze.

Ze zal toch niet wagenziek worden? We gaan gelukkig maar een kilometer of zesduizend rijden hier.

DRIE

Als een dood vogeltje zit Luna op het bankje in de receptie van The Four Mile Drive Campervan Park. Zelfs haar walkman met sprookjes heeft ze naast zich neergelegd.

De dame achter de receptie geeft me een plattegrond en omcirkelt met een fluorescerende gele stift de plek waar we onze smurfmobiel mogen planten. Onze plek is niet ver van de receptie en het zwembad.

Ze vraagt of ik verder nog iets nodig heb. Ik antwoord dat ik graag een fles water wil en straks wel even terugkom voor informatie over *rental bikes*, *opening hours* van The Rainforest Habitat Wildlife Sanctuary en natuurlijk *scuba diving on The Reef.* Met een hoofdknik naar Luna maak ik duidelijk dat ik eerst andere prioriteiten heb. Ik pak de fles water en de plattegrond aan, til Luna op en sjok naar ons rijdende hondenhok. Hallo, wat is het warm, zeg. Ik zweet me nu al de tyfus.

'Moeten we nu weer autorijden?' mokt Luna, als we buiten staan.

'Een heel klein stukje maar. Wil je op papa's schoot? Dan mag jij meesturen.'

Dat helpt. Er verschijnt een kleine lach op haar gezicht.

Stapvoets rijden we over het *campervan*-terrein. Niet dat dat nodig is, want het is stil hier.

Héél stil.

Bij de toiletgebouwen staat een Aziatisch vrouwtje de wasbakken te boenen en zij is het enige gezelschap dat ik ontwaar. Het hoogseizoen is duidelijk voorbij voor The Four Mile Drive Campervan Park.

Ik kijk op de plattegrond. Nummer 17. Op de houten paaltjes die de camperplaatsen aanduiden zie ik dat we bij nummer 14 zijn. Ze had ons net zo goed op 1 kunnen zetten, maar misschien zijn die plekken al wel geboekt voor het weekend. Ja, morgen wordt het vast drukker hier.

Iedere kampeerplek is voorzien van een betonnen plateau van enkele vierkante meters, ook de onze. Ik twijfel even of ik ons vehikel erop of ernaast moet zetten. Een stuk verder staat warempel nog een camper. Die staat ernaast. Ik besluit zijn voorbeeld te volgen. Geen idee waar dat beton voor dient. Gezellig is anders. De Bijlmer komt naar u toe deze zomer.

Binnen tien minuten heb ik de zithoek tot slaapbank voor twee personen getransformeerd, gadegeslagen door een bleke Luna. Ik haal de lakens die de man van Britz Car Rental me heeft verstrekt uit hun plastic verpakking en stoot voor de tweede keer mijn hoofd, dit keer aan de achterklep, die ik heb opengezet om de bedden van buitenaf op te kunnen maken.

Al gapend laat Luna zich uitkleden. Het is midden op de dag en het zou me niks verbazen als het tegen de veertig graden in onze broodtrommel is. Ik geef Luna een kus, pak een klapstoel vanonder de bedbank en ga op het betonnen terras zitten. Eindelijk rust.

Voldaan zet ik de fles water aan mijn mond en kijk naar de leegte om me heen.

'Papa?' klinkt het vanuit de camper.

Zucht.

'Waar is mijn speen? En Popje?'

Ik zou willen dat ze dat Popje nooit gekregen had. Ik sta op en klim onze kijkdoos weer in. Gelukkig weet ik waar ik deze *bare necessities* heb gelaten: in de tas met handbagage. Die, zo ontdek ik een kwartier zoeken en één telefoontje later, nog op de balie van Britz Car Rental op Cairns Airport staat.

Ze zullen de tas voor ons bewaren tot over een week, als Luna en ik vanuit Port Douglas weer langs Cairns komen, richting het zuiden.

De man snapte weinig van onze routeplanning, zo te horen, maar ik kon hem toch moeilijk zeggen dat ik speciaal naar Port Douglas ben gegaan om de duikschool te zien waar mijn overleden vrouw tien jaar geleden een dagje mee op een boot heeft gezeten.

Gelukkig is mijn voorraad spenen ruimschoots genoeg om er hier en daar een te verliezen. En als ik Luna vertel dat ik – Anne zij dank – een reservepopje heb meegenomen, vindt ze me een *superpapa*. Ze tovert een glimlach op haar lijkwitte gezicht en geeft me een kus. Daarna neemt ze Popje II in de armen alsof Popje I nooit heeft bestaan. Dat zal ze wel van mij hebben, denk ik grinnikend.

VIER

Een van de meest mensonterende manieren om wakker te worden, waar je Amnesty International nooit over hoort, is door een jankend kinderstemmetje op enkele centimeters van je oor.

Ik lig naast Luna op de bedbank. Door mijn oogharen heen zie ik op mijn horloge dat we nog geen halfuur hebben geslapen. Veel ellende in een mensenleven kun je verdringen of op zijn minst verdrinken, maar een huilend kinderstemmetje, vooral als het aan je eigen kind toebehoort, daar kom je niet onderuit.

Langzaam dringt het tot me door dat er nog iets is waar ik niet onderuit kom: er hangt een merkwaardige lucht in dit koekblik. Een doordringende, zurige lucht.

Met een ruk draai ik me om. Luna zit op haar knieën te snikken. Om haar heen ziet het er niet fris uit. Dat er zoveel ellende uit een kind van drieënhalf kan komen. De eerste de beste die ik ooit nog hoor zeggen dat je niet vies van je eigen kinderen kunt zijn, duw ik met zijn hoofd in een emmer peristaltische uitwerpselen van zijn eigen lieftallige kleuter.

Als ik Luna onder de douche heb schoongeschrobt, ga ik met onze camper aan de slag. Op de dashboardthermometer is het 42 graden. Alles zit onder. Lakens, Popje 11, nachthemd, hoofdkussen, de donkerblauwe gordijntjes, zelfs de bekleding van de bedbanken is niet ongedeerd gebleven. Door de lakens heen is een grote donkere vlek op de gebloemde bankjes ontstaan. Fijn.

Nu gaan we heel Australië door in een poppenwagen die na de eerste middag al meurt als de poorten van de hel.

De buren van de camper verderop, een stel op leeftijd waarvan het me niets zou verbazen als ze delen van de bijbel nog live hadden meegemaakt, zijn ondertussen gearriveerd. Ze kijken me vol medelijden aan als ik met de was langsloop en geven me een pakket schoonmaakmiddelen mee, bestaande uit een dweil, een fles allesreiniger en een bekertje waspoeder. De vrouw weet te vertellen dat Luna's popje en de bekleding van de kussens geschikt zijn voor de wasmachine. Als ik terugkom van de washokken, zie ik ze haastig hun spullen naar binnen dragen. Verbaasd kijk ik omhoog. Onheilspellende grijsgroene wolken drijven het luchtruim boven The Four Mile Drive Campervan Park in.

VIJF

Luna en ik spelen een eindeloos aantal spelletjes Sesamstraat-memory in ons naar allesreiniger geurende koekblik. Om de paar minuten kijk ik mistroostig door het raampje of de neerplenzende tropische bui nog ooit ophoudt.

Pas als het begint te schemeren wordt de regen minder. Port Douglas kunnen we vanavond vergeten. Ik lees Luna een verhaaltje voor en stop haar in, met sarongs en handdoeken als vervangend beddengoed.

Het lukt me warempel om haar uit te leggen dat mijn bagage niet berekend is op het verlies van twéé popjes. Hoewel ze sinds het ontbijt in het vliegtuig van vanochtend niets meer binnen heeft gekregen, hoefde ze ook niet te eten, zei ze en daar ben ik niet ongelukkig mee. Ik zou niet weten wat ik haar had moeten geven. Zelfs de halve zak lolly's die we nog hadden is ons op last van de douanebeambte ontnomen. Onze hele proviand bestaat uit een fles lauw geworden water.

Zodra ik meen te horen dat de regen is opgehouden, stap ik de camper uit en loop ik een stukje over het terrein. Ook na het onweer is het vies warm. Ik heb nog steeds niet gedoucht, bedenk ik. Ik zou eigenlijk zo meteen wel even in het zwembad willen springen. Misschien willen de buren op Luna passen.

Ik loop naar hun camper en klop op de voordeur.

Ze zijn er niet.

Op het hele terrein is geen kip te bekennen.

Waarom zit ik hier, in een, op twee bejaarden na, verlaten camperpark in de Achterhoek van Australië, helemaal alleen met mijn dochter, die op de eerste dag al ziek is van een ritje van drie kwartier? Had ik niet ergens dichterbij mijn heil kunnen zoeken? Alleen Nieuw-Zeeland en de maan zijn verder weg. Als Nora nog eens wat weet met haar adviezen. Verwacht ze nou echt dat ik, net als die gozer in *De alchemist*, de hele woestijn door ga crossen op zoek naar symbolische boodschappen? Bekijk het even.

Moet ik wachten op een oude man met een vieze baard en een beschilderd hoofd, die me cryptisch gaat vertellen waar de sleutel tot geluk of wijsheid te vinden is? Krijg ik straks van iemand een boek aangereikt dat me het licht doet zien? Of moet ik het gewoon meer *down to earth* zoeken en uitkijken naar een aftandse strandtent die toevallig te koop staat omdat de eigenaresse van zesennegentig vorige winter is overleden, om daar vervolgens met mijn aangeboren handigheid een paar jaar in te gaan staan klussen, omdat het de bedoeling van de voorzienigheid is dat Luna en ik ons hier gaan vestigen, zodat er op een dag, ooit, ineens De Vrouw Die Mijn Leven Gaat Veranderen binnenstapt, met wie ik dan Australische broertjes en zusjes voor Luna ga maken? Ja, misschien geef ik Anne en Thomas wel opdracht om mijn huis te verkopen en vieren we de komende dertig jaar Kerstmis bij dertig graden in de schaduw.

Ik moet er niet aan denken. Als het overal zo stil is, rij ik liever meteen door naar Byron Bay, *Australia's #1 love and peace spot*, waar Carmen zo lyrisch over was in haar foto-album.

Ik kijk op de kaart. Byron Bay ligt nog zo'n slordige tweeduizend kilometer naar het zuiden.

ZES

Om halfacht in de ochtend brand ik ons magnetronnetje uit.
Luna heeft haar ogen nog dicht. Ze ziet er lief uit zo. Ik geef haar
zacht een kus op haar voorhoofd en streel haar wangetje even. Ze is in
een diepe slaap. Mooi. Nu kan ik eindelijk even naar de receptie om
te kijken of ze nog wat te eten en te drinken hebben.

'*Hello,*' zegt de dame vriendelijk. '*How's your little daughter?*'
'*Not too good. She is not used to the heat yet.*'
Ik vraag haar hoe ver het is naar het centrum van Port Douglas,
of ik een fiets kan huren, waar een dokter zit die verstand heeft van
rabiës, welke *scuba diving companies* ze kan aanraden en of zij misschien nog wat te eten en te drinken in de aanbieding heeft.
Ze heeft goed nieuws.
Vanuit het park schijnen we de hele Four Mile over het strand
naar Port Douglas te kunnen fietsen. Daar stikt het van de bedrijven
die duiktrips organiseren naar The Reef en morgenmiddag, zondag,
is er in de meeste kroegen livemuziek.
Het slechte nieuws is dat het inderdaad *low season* is. Volgende
week zit er hier helemaal geen kip meer, we zitten in North Queensland en het regenseizoen staat voor de deur, vandaar de slechte bezet-
ting van het park. Aan gezelschap van mijn of Luna's leeftijd kan ze
me dus niet helpen, zegt ze lachend, aan theezakjes ook niet, maar
wel aan een stapel brochures van *scuba diving trips*, een pakje crackers en jam, een zak chips, zes flesjes ijskoud Fosters-bier, een *all-
terrain bike* met kinderzitje en twee helmpjes. '*Queensland law,*' zegt
ze lachend als ze me twee helmpjes aanreikt. Ik kijk naar de helm-

pjes. Vergeet het maar. Luna mag doen wat ze wil, maar ik ga morgen niet voor joker fietsen.

Vanuit de receptie fiets ik naar het washok in de toiletgebouwen. Ik haal de was uit de machine en hang Popje, Luna's nachthemdjes, de lakens en sarong op aan de waslijn naast het washok.

Luna wordt net wakker als ik bij de camper aankom. Ze heeft haar speen in haar mond en wrijft, bij afwezigheid van Popje ı en ıı, met haar apenvinger over haar wang.

'Goeiemorgen, zonnetje. Je hebt zeker wel honger?'

Ze knikt. Het lijkt iets beter met haar te gaan.

Even later zitten we aan een opklaptafel naast onze dinky toy crackers met jam te eten. Luna neemt kleine hapjes, maar ze eet in ieder geval. Ik heb thee gezet. De buren hadden wél theezakjes.

Geboeid kijkt Luna naar het schuimrubberen helmpje met Snoopy-afbeelding. Ik vertel haar dat we vandaag over het strand gaan fietsen. Dat we dat doen om in Port Douglas een dokter te bezoeken die haar apenvinger zal ontdoen van het vastgekoekte verband en haar daarna een rabiësprik gaat geven, laat ik achterwege.

Hoewel een kinderzitje niet bijster erotiserend is, komt de all-terrain bike ermee weg en al helemaal als Luna er zo meteen op zit. Ik laat haar in de kleine spiegel van het kastdeurtje van de camper zien hoe verantwoord ze eruitziet met haar Snoopy-helm, felroze zonnebrilletje en het hipste zomerjurkje uit haar koffertje. Papa is helmloos, maar met kekke zonnebril en oud nonchalant verwassen T-shirt van de Melkweg.

Je kunt nooit weten, misschien komen we vandaag De Vrouw Die Mijn Leven Gaat Veranderen al wel tegen, in de wachtkamer van de dokter, bij een van de diving companies of gewoon, zoals het hoort, in een kroeg of strandtent. Dan kun je er maar beter op gekleed zijn.

ZEVEN

Four Mile Beach heet het strand en dat lijkt te kloppen. Links en rechts kilometers wit zand, met een dikbeboste boomrand aan de ene kant en de zee aan de andere. Langs de kustlijn is het zand fietsbaar, zei de receptioniste, en van daaruit moeten we gewoon naar het noorden rijden, dan komen we vanzelf in Port Douglas. Daar hebben we vanmiddag een afspraak met een dokter voor Luna's prik.

Als we over het bospad bij het strand aankomen kijk ik een beetje angstig om me heen. Dat Four Mile Beach paradijselijk rustig zou zijn, had de receptioniste op het camperpark al beloofd, maar er zijn grenzen. Er is geen hond te bekennen. Laat staan De Vrouw Die Mijn Leven Gaat Veranderen. Ik had evengoed een Teletubbie-pak kunnen aantrekken.

Hm. Dan maar even op het strand liggen. Ik zou graag een duik in zee nemen, samen met Luna, maar dat kan niet, heeft de receptioniste gezegd. Het stikt hier in deze tijd van het jaar van de *box jellyfish*, een kwalsoort waarvan één steek dodelijk kan zijn. Vooral voor kinderen.

Alleen in de buurt van het dorp is een gedeelte in zee afgezet, met fijnmazige netten, om veilig te kunnen zwemmen. Nou ja, misschien is het ook beter om eerst even af te wachten wat die dokter zo meteen zegt over de wond aan Luna's vinger, voor we het water in gaan.

Ik pak mijn rugzakje, spreid de sarong uit op het zand en help Luna uit haar jurkje. Insmeren hoeft niet, Luna is na één week Koh Samui al net zo bruin als Patty Brard.

Na een halfuur liggen heb ik het wel gezien. Luna is wat lusteloos met een takje in het zand aan het spelen. Daar straalt het genot ook niet van af. Ik doe niet anders dan om me heen kijken, zoekend naar een bewijs dat er leven op deze planeet is. Nada. Dat hele low season-gedoe begint me behoorlijk de keel uit te hangen. Ik zou vandaag weleens wat mensen willen ontmoeten waarmee ik over meer dan alleen de wasbaarheid van bedbankkussens of Sesamstraat-memory kan praten. Liefst in een gezellige strandtent. Allemaal leuk en aardig, die natuur, maar er moet wel bij gedronken kunnen worden.[14]

Vooruit met de fiets.

Ik pak onze spullen in en zeg tegen Luna dat we gaan. Ik til haar in het kinderzitje en duw de fiets door het mulle zand richting zee. Het is halftwaalf, de zon brult ons tegemoet. Waar ben ik mee bezig? Dit is harder werken dan ik in maanden gedaan heb.

'Goed zo, pap,' moedigt Luna me aan. 'Je bent er bijna.'

Ik kijk achterom en zie Luna met haar Snoopy-helm en zonnebril als een prinses op haar kinderzitje zitten. Dan schiet ik in de lach.

Wat zeik ik nu toch allemaal. Hordes jonge ouders zouden er een ontslagprocedure voor overhebben om hier te kunnen zijn met hun kroost. Dit is waar ze in *Ouders van Nu* hele artikelen over volschrijven. *Quality time* met de kinderen. Kom op. Hiervoor ontvluchtte ik Amsterdam. Geniet ervan, eikel.

Ik kijk Luna aan. 'Dus u wilt naar zee, prinses?'

Ze knikt.

Plotseling begin ik te gillen als een bosaap en ren ik met de fiets aan mijn hand richting zee. Luna schatert het uit. 'Nee, nee, niet de zee in!' schaterlacht ze.

'Jawel!' schreeuw ik terug. Pas als we tot mijn enkels in het water staan, stop ik. Mijn dochter doet het bijna in haar broek van het lachen. Ik zet twee overdreven grote ogen op en steek quasi verbaasd mijn wijsvinger in de lucht, het Mister Bean-gebaar dat Carmen altijd maakte als ze iets onzinnigs had bedacht.

'Welkom op deze waterfiets, hoogheid,' zeg ik met een overdreven stem. Ik spring op de fiets, stuur de fiets door de golven en stoot als een scheepstoeter geluiden uit. We gaan steeds harder, met onze wielen in de branding. Het warme zeewater spat op, Luna doet haar armen wijd, beweegt haar hoofd achterover in de wind en joelt.

'Harder, pap, harder!'

Ik slaak oerkreten, trap nog wat harder en fiets nog een stukje verder het water in. Het is alsof we door een autowasstraat rijden. Binnen de kortste keren zijn we allebei drijfnat, ik nog meer van het zweet dan van het opspattende water.

ACHT

Ze zijn niet lullig met vlees hier. Wat een hamburger. *'We just cut off his ears, wipe his ass and serve the beast'* staat er op het menu en daar is geen woord van gelogen. Dit stuk vlees had zelfs Natasja er niet in één keer in gekregen.

We zitten in The Iron Bar, een eetcafé met een decor van stalen golfplaten, roestige olievaten en stukken gereedschap die ik niet ken. Het moet vermoedelijk de outback voorstellen want ik zie ook cactussen, een geestig bedoeld *No Shooting*-bord met kogelgaten erin en een quasi vervallen wegwijzer waarop staat dat de afstand van hier tot New York 9441 *mile* is en tot Tokyo toch ook nog altijd een slordige 4519 mile.

Over een paar dagen zijn er hier *Toad Races*, staat er op een schoolbord. Ze hebben er een kikker naast getekend, dus toads zullen wel kikkers zijn.

'Luna, wil jij een keer een kikkerrace zien?'

'Wat is dat?'

'Een stel kikkers die doen wie de snelste kikker is.'

Ze kijkt naar de getekende kikker op het bord.

'Gaan we dan samen?'

Ik knik.

'Dan wil ik er wel heen.'

De hamburger smaakt geweldig. Ik heb net in één teug een ijskoud flesje Fosters naar binnen gegoten en − *'wannunodduhwan, mate?'* − er staat alweer een nieuwe voor m'n neus. Zojuist heb ik Luna geleerd om bij het proosten *'Cheers big ears'* te zeggen, omdat mama dat vroeger ook altijd zei als ze dronken begon te worden.

Luna vindt het ook lollig, want nu moet er voor iedere slok geklonken worden en '*tjiers-bik-iers*' worden geroepen. Het flesje orange juice is al voor driekwart leeg, dus het is educatief nog een slimme truc ook. Nu zit ze met glinsterende ogen te lepelen van een ijscoupe ter grootte van een champagnekoeler. Het kind zelf is nauwelijks zichtbaar meer.

Ja, dit begint erop te lijken, dit is vakantie.

Het ijs had ze meer dan verdiend. Ik was zo trots als een aap – hoewel dat in deze een wat wrange vergelijking is – op mijn dochter, zojuist bij die dokter. Geen traan, toen het verband eraf ging. Het zag er nog steeds niet smakelijk uit. Zwemmen mag de komende dagen nog niet, zei de dokter. Toen de anti-rabiësinjectie erin ging, kwamen er drie kleine au'tjes uit Luna's mond. *That's it*. Wat een kanjer. Ik moest er zelf een traan van wegpinken toen ik haar gezichtje zag vertrekken.

Buiten tilde ik haar op, draaide haar in het rond en vertelde ik haar hoe stoer ze was geweest en wat een fantastisch lief en mooi en slim en knap en superduperfluper topkind ze was.

En dat we vanmiddag niet meer naar die duikschool gingen waar papa zo graag naartoe wilde, dat komt later deze week wel een keer.

Tijd zat.

NEGEN

Bij een drogist in Port Douglas kopen we voor Luna een voorraad reistabletten van hier tot Kangaroo Island. Ik kijk geïntrigeerd naar een affiche waarop een vreemde vogel en de woorden *Slip!Slop!Slap!* staan. Het zou zomaar de titel van een pornofilm met Ron Jeremy kunnen zijn, maar van het knappe winkelmeisje begrijp ik dat de woorden deel uitmaken van een campagne die ouders ervan moet overtuigen hun kinderen altijd een shirt aan te *slippen*, zonnebrand in te *sloppen* en een hoed op te *slappen*. Ze kijkt erbij naar Luna die, ondanks een week Thailand, bij ons fietsritje van gistermiddag licht verbrand is op haar schouders. Ik krijg een folder in mijn handen gedrukt met een statistiek waaruit af te leiden is dat er jaarlijks een paar duizend Australiërs sterven aan huidkanker.

Dat woord volstaat om voor Luna een grote fles zonnebrand met factor 36 te kopen en zo'n zelfde uv-werend surfpakje als waarin ik hier al een paar kleuters heb zien rondlopen.

Ik vraag aan het winkelmeisje of ze toevallig weet of er hier ergens een kerkje in Port Douglas is. Ze zegt dat er wel vijf zijn. Uit mijn rugzak haal ik de foto waarop Carmen bij een wit kerkje staat.

'Ah, St. Mary's by the Sea,' lacht ze. Ze vertelt dat er aan het einde van de straat een parkje is, vlak aan zee. Daar is het.

We fietsen in de richting van het parkje. Als we er aankomen herken ik het meteen. Een wit houten kerkje, pal aan zee. Ik laat Luna de foto zien van mama. Alleen de bomen op de achtergrond zijn gegroeid. Zo te zien is de foto van vlak voor de ingang genomen. We lopen erheen, over het grasveld. Ja. Hier ongeveer. Ik vraag of Luna wil poseren waar Carmen stond. Als ik door de lens kijk, moet ik even slikken. Tegelijkertijd geneer ik me een beetje voor mezelf. Wat wil ik eigenlijk met deze foto? Ik lijk wel een groupie. Laten we maar even naar binnen gaan, nu we er toch zijn. Je bent toerist of je bent het niet.

Binnen zien we door de openstaande ramen de zee. Toe maar, een kerk met zeezicht. Slim klantenlokkertje.

Luna is meer onder de indruk van de beelden en beschilderingen dan van het uitzicht. Ik volg haar ogen. Jezus aan het kruis, Jezus lopend met het kruis, geen vrolijke kost. Ik kijk rond, speurend naar een schildering die de vrolijke kant van 's mans leven belicht en wijs naar een schilderij achter in de kerk, waarop Jozef en Maria en de koningen met z'n allen naar dat mannetje in die krib staan te kijken. Een baby met een lichtkrans rond zijn hoofdje lijkt me voor een tere kinderziel beter dan een man met spijkers door zijn voeten en een doornenkroon op zijn hoofd.

Ik vertel Luna het verhaal van de geboorte in Bethlehem.

'Is Maria de mama van Jezus?'

Ik knik.

'En wie is de papa?'

'Eh... eigenlijk is God de papa van Jezus. Heb je weleens van God gehoord?'

Luna knikt en kijkt opnieuw naar het schilderij. Ik zie haar ogen het hele ding scannen. 'Waarom staat God er niet bij dan?'

'Die woont in eh... de hemel. Niemand weet precies hoe God eruitziet.'

Luna bestudeert de schildering intensief. Ik zie haar fronsend naar een punt boven de stal kijken.

'Wie zijn die dikke kinderen met die vleugels?'

'Dat zijn nou engelen, schat,' lach ik.

Ze kijkt me vol ongeloof aan. 'Mama is toch ook een engeltje?'

Ik vertel haar dat ook grote mensen niet weten hoe engelen er in het echt uitzien en dat schilders ze meestal met vleugels tekenen, omdat engelen zo af en toe vanuit de hemel afdalen om ons te helpen, net zoals mama ons af en toe helpt.

Als ik mezelf zo hoor praten, klinkt het allemaal te belachelijk voor woorden, en Luna lijkt er ook niet helemaal gerust op. 'Mama is veel groter dan die engelenkindjes. Misschien zijn die engeltjes daar...' – ze wijst weer naar het schilderij – 'wel kindjes die dood zijn gegaan.'

Ik gooi een muntstuk in het daarvoor bedoelde bakje en laat Luna een kaarsje pakken. Met de tong uit haar mond houdt ze de kaars in een van de vlammetjes. We zetten hem tussen de andere kaarsjes.

'Als we nu stil zijn en onze ogen dichtdoen,' fluister ik, 'kunnen we beter aan mama denken en dan is het net of ze een beetje bij ons is.'

Luna knikt.

We doen onze ogen dicht en zwijgen.

Ik heb niks met kerken, maar ik moet bekennen dat deze plek goed voelt. De aandacht, de stilte, de rust, de kaars – het is inderdaad net of we iets dichter bij Carm zijn. Ik open mijn ogen en kijk naar Luna, die nog steeds met haar ogen dicht staat.

'Ben je klaar?' fluister ik.

Ze schudt haar hoofd. 'Nog een keer!' zegt ze beslist, met haar ogen gesloten.

Ik zwijg weer.

'Zullen we wat zeggen tegen mama?' vraag ik na een tijdje.

'Ja!'

Ik kijk even om me heen. Er is niemand anders in het kerkje. Ik schraap mijn keel en begin, met zachte stem. 'Hallo mama... We zijn nu in Australië, in een kerk waar jij ook ooit bent geweest en we hebben het heel fijn samen... Maar...'

Ik wacht even. Het doet pijn om het zo uit te spreken.

'Maar... we... missen je. Zul je aan ons denken in de hemel en... goed voor ons zorgen?'

Ik open mijn ogen en veeg ze snel droog voor Luna me zo ziet. Die heeft nog steeds haar ogen dicht. Haar mond staat open.

'Luna?'

Ze opent haar ogen.

'Ga je mee?'

162

Ze knikt en pakt mijn hand.
Als we het kerkje uit lopen kijkt ze nog even om.
Ze zwaait en geeft een kushand.

TIEN

The Poseidon Reef Adventure Centre hangt vol foto's met prachtig gekleurde koralen, vissen waarvoor de schepper zijn fantasie behoorlijk de vrije loop heeft gelaten en vrolijk zwaaiende duikers. Carmen hangt er niet tussen. 'G'day, mate,' zegt een gebruinde jongen met een Oakley-zonnebril in zijn gebleekte haar. Hij heeft een leren veter om zijn nek waaraan een haaientand hangt. Om zijn polsen draagt hij een verzameling gekleurde kralenarmbandjes en een horloge waarmee je tot driehonderd meter onder water kan zien hoe laat het op de maan is. Vanonder zijn T-shirtmouwen komt een indrukwekkende tattoo tevoorschijn.

'Hey man,' zeg ik op mijn meest nonchalante toon, 'can you gimme some information 'bout scuba diving?'

'You've come to the right address, mate!' zegt de jongen opgewekt. Ik vraag hem waar hun duikplekken zijn. The Great Barrier Reef is inderdaad maar een vloek en een zucht varen hiervandaan. Daarom is het ook mogelijk om op één dag twee of drie duiken op verschillende locaties in de Outer Reef, het mooiste deel van het rif, te maken. Ik blader door de map met de verschillende mogelijkheden en besluit te gaan voor de meest uitgebreide trip met drie duiken, inclusief huur van duikspullen en een lunch met verse dooie vissen. Morgenochtend om zeven uur bij de haven.

Ik knik. Terwijl de jongen de formulieren invult, vraag ik hem hoe lang ze al bestaan.

'Almost five years.'

O. Dit was dus níét Carmens duikschool. Zal ik vragen of er in Port

Douglas soms nog een andere duikschool is die met een P beg-...?

'*Why?*'

'*My wife was once here,*' wil ik antwoorden, maar dat klinkt wel heel ziekelijk. Die duikschool van Carm is vast allang ter ziele. '*Nothing. Just curious.*'

De jongen is klaar met de paperassen en vraagt of ik nu vast wil afrekenen.

Ik pak mijn creditcard en vraag of ik ook nog iets voor mijn dochter moet betalen. Ik wijs naar Luna, die met interesse staat te kijken naar een foto van een vrolijk, oranje-wit gestreept visje, dat eruitziet alsof hij lid is van de Supportersvereniging Oranje.

'*Oh, your little daughter will be joining you, mate?*'

'*Of course*'

'*And your wife?*'

Hè, we waren net zo lekker bezig. '*I do not have a wife.*'

'*But who is going to look after your daughter when you're diving, then?*'

Ik vertel hem dat Luna heel makkelijk is. Als er iemand aan boord een oogje in het zeil houdt als ik onder water ben, komt het allemaal goed, daar ken ik mijn kind goed genoeg voor.

De jongen schudt zo hard zijn hoofd dat zijn haaientand er van heen en weer bungelt.

'*We can't do that, mate.*'

'*What do you mean, you can't do that?*' vraag ik, maar ik zie de bui al hangen.

'*Queensland law, mate. Children aboard must be accompanied by at least one parent or adult.*'

'*C'mon, man, please...*' smeek ik.

Een halfuur later, na vergeefse bezoeken aan Haba Dive & Snorkel en Calypso Reef Charters stap ik ten einde raad maar het Tourist Office binnen.

Zij weten raad.

Even later ben ik de trotse bezitter van twee tickets voor de Captain

Nemo Experience. Papa en Luna gaan morgen de mooiste koraalriffen en vissen ter wereld bekijken in de Sesamstraat-versie. Een boot met een glazen bodem.

Ik kan ze vanaf hier in Amsterdam horen lachen.

ELF

Ik kijk op mijn horloge. Halfdrie in de nacht. Ik heb nog geen oog dichtgedaan. Eerder vanavond kwamen we The Iron Bar niet binnen. In etablissementen waar alcohol wordt geschonken is de aanwezigheid van kinderen 's avonds verboden. Doodziek word ik van al dat ge-Queensland-law.

Zachtjes open ik de deur van de camper en ga buiten op een van de campingstoelen zitten. Bij de toiletgebouwen zie ik licht branden, verder is het aardedonker. Het enige teken van leven is het geluid van de krekels. Bah. Ik verlang naar de nachtelijke geluiden van de stad. Lijn 16 die terugrijdt naar de remise. Studenten die De Gruter zijn uitgerold en het hele huizenblok wakker brallen. Het irritant optrekkende brommertje van de bezorger van de ochtendkrant.

Ik wil mensengeluiden horen. Geen krekels. Stil staar ik in het donkere niets. Zelfs onze bejaarde buren zijn gisteren vertrokken. We zijn nu helemaal alleen.

Port Douglas. *Where the Rainforest meets the Reef.*

Wat een ellende.

En ik heb niet eens meer bier in de koelkast. Morgen weer even een paar sixpackjes Fosters kopen. God, wat heb ik zin in bier. Of in een lijntje.

Zal ik een boek pakken? O nee, dan krijgen we dat gekut met die zaklamp weer of ik moet het licht in de camper aandoen en dan wordt Luna wakker. Bovendien stikt het dan straks binnen weer van de muggen. Een lamp. Morgen eens een fatsoenlijke lamp kopen.

Wacht eens. Ik zou natuurlijk...

Hm. Nee...

Of wel?

Hoe laat is het? Tien voor drie. Hoe laat is het dan in Thailand? Tegen tienen toch? Mwa. Kan nog wel. Zal ik... Wat is het vandaag? Dinsdag. Volgens mij vertrekt ze straks. Op zich wel aardig om haar een goeie vlucht te wensen. Tuurlijk vindt ze dat leuk. Kan ik meteen zeggen dat het me spijt dat ik zo lullig heb gedaan in Bangkok.

Hè, verdomme.

Kom op, neem op.

Zou ze al in het vliegtuig zitten?

Een uur later word ik in de camper wakker van het geluid van een binnenkomende sms. Snel moffel ik de telefoon onder het kussen. Gelukkig, Luna slaapt door.

Ik kijk in mijn inbox.

Hoi! Ik zag dat ik je oproep had gemist. Zit nu in de taxi op weg naar het vliegveld. Zo meteen inchecken, over twee uur vliegen. Viel best mee, die vijf dagen BK in m'n eentje. Leuk stel uit Newcastle ontmoet en een aardige jongen uit Dublin. X, veel plezier daar en geniet.

Een aardige jongen uit Dublin. Kwaad delete ik de sms. Ik heb mijn kont nog niet gekeerd of Roos laat zich naaien door een of andere *would be*-Bono.

Lekker hoor, nog geen boemerang gezien hier en nu krijg ik er vanuit Thailand eentje voor mijn knar.

Ik wil helemaal niks weten over would-be Bono's.

Ik wil gewoon horen dat ze me mist.

Tot nu toe was het net alsof Roos er nog een beetje voor me was. Alsof ik een reserveparachute in Bangkok had, waarvan ik altijd nog gebruik kon maken.

Hoe laat kwam die sms ongeveer binnen? Ik schat een halfuurtje geleden. Misschien heeft ze nog niet ingecheckt. Zal ik haar gewoon bellen? Nee.

Als ik de stem van Roos nu zou horen, zou ik waarschijnlijk een acute verweking van de ruggengraat krijgen en voor ik het weet zou ik deze hele Australië-expeditie, met alle bombarie eromheen, in één machtige beweging om zeep helpen.

Ik hoor ze al praten, daar in Amsterdam.

Roos naar Australië laten komen is een aantal graadjes erger dan The Reef bekijken vanuit een boot met een glazen onderkant.

Maar toch.

Ik heb de afgelopen dagen allang ingezien dat het wat overmoedig was, helemaal alleen met Luna. Wie wordt er beter van als ik niet kan duiken en als we niet naar een kikkerrace in de kroeg kunnen? Wat zoek ik hier in mijn eentje? Wat zou erop tegen zijn als Roos hier ook was? Ze kan toch als vriend komen? Ze ís toch ook een goede vriend? In Thailand moest het zo nodig allemaal leuk zijn, omdat dat het officiële einde van onze relatie was. Daar is nu geen sprake meer van. Die relatie is voorbij.

Jezus christus. Nog geen week geleden was ik zo opgelucht als de supporters van Ajax toen ze hoorden dat Jan Wouters was ontslagen, en dan zou ik haar nu doodleuk over laten komen, alleen maar omdat ik bang ben voor het vooruitzicht me de komende maanden iedere avond zo te voelen als nu?

Weet je, ik stuur nog één sms'je terug, om haar een goede reis te wensen en dan ga ik slapen.

Ha godin...

Getver. Veel te intiem. Zakelijk houden.

Ha! En, zie je op tegen de terugrei

Ach, kom op, wat een flauwekul.

Ik toets het snelkeuzenummer van Roos in.

'…'

'Stíjn?!?'

Hm. Meer verbaasd dan blij.

'Hoi.'

'Jeeeeetje, bel je vanuit Australië? Ik zag dat je al geb-… Hé, het gaat toch wel goed met jullie?'

'Ja… Het gaat wel.'

'Wat klink je sneu…'

'Ach. Ik heb niet mijn dag, denk ik.'

'Waarom bel je?' Haar stem zalft door de telefoon. 'Zeg, er is toch niks, hè?'

Mijn maag trekt samen.

Ik hang een verhaal op dat ik het helemaal naar mijn zin heb. Fijne camper, leuke mensen, goed weer, Luna in topvorm en we gaan nog niet naar huis, nog lange niet, nog lange niet, en we gaan nog niet naar huis, want ons moeder is niet thuis. En nog dood ook. Hahaha.

'Stíjn?'

Ik vertel dat het inderdaad niet meevalt, maar dat dat vooral komt omdat Luna ziek is geweest. Roos moet ontzettend lachen als ik vertel dat we morgen met een boot met een glazen onderkant The Reef gaan bekijken en nu ik het mezelf zo hoor zeggen zie ik er de humor eigenlijk ook wel van in.

Ik vraag niet of ze het met die jongen heeft gedaan.

'Heb je al ingecheckt?'

'Ja, ik sta voor de douane, hoezo?'

Te laat. Waarom heeft zíj me godverdomme ook niet meteen teruggebeld toen ze mijn oproepen zag?

'Zomaar. Zeg, dus het was nog leuk in Bangkok?'

'Ja, best wel. Leuke mensen. Sandy en Don uit Newcastle en Mark, een heel grappige jongen uit Dublin.'

Welja, wrijf het er even in.

'Nog wezen stappen?'

'Ja, met hen naar de Supperclub, weet je wel, wat ze ook in Amsterdam... *Oh, yes, sorry, one moment, please...* Eh... Stijn?'

'Ja?'

'Ik stuur je zo nog wel een sms. Ik ben aan de beurt.'

'Eh...'

Zal ik... nu kan het nog...

'Ik moet nu écht gaan hangen, hoor!'

Te laat.

'Oké! Goeie reis, hè!'

'Joehoe, jij ook heel veel succes daar en een dikke kus voor Luna!'

'Daaag.'

En dan hangt ze op.

Vijf minuten later krijg ik een sms.

Lieverd, Jij en Luna, samen, zo hoort het. Je hebt
verder niemand nodig. Echt niet. Ook mij niet,
hoeveel pijn me dat ook doet. Het is goed zo. Je
kunt het, jullie kunnen het. Ik ben trots op je.
Niet meer bellen en sms'en nu. Tot over een paar
maanden. X x

Het is uit met de leedmijd.

TWAALF

Cairns is geen vrolijke stad.

In de zeikende regen lopen Luna en ik van de *food market* terug naar onze camper, die hier ergens op een parking staat. We hebben zojuist Popje 1 bij Britz Car Rental opgehaald en meteen even boodschappen gedaan.

Het is halfnegen 's avonds en Luna is moe.

Nog een blok of vijf tot die parkeerplaats, schat ik.

Voor vanavond hebben we een plekje gereserveerd op The Coconut Caravan Park, een paar kilometer buiten de stad. Dat moet ik straks eerst maar eens zien te vinden, in het donker, met die plenzende regen. En dan hopen dat de receptie nog open is. Ik ben vergeten wat die dame aan de telefoon daarover zei. Halftien, geloof ik. Het zal erom hangen of we dat halen. O fuck, en dan straks die bedbanken van onze dinky toy nog opmaken.

We zijn nu een week hier en de enige momenten waar ik met plezier op terugkijk is die middag toen we met onze fiets over het strand reden en toen we bij dat kerkje waren.

Als ik heel eerlijk ben is Australië tot nu toe één grote afknapper.

De tocht met de Captain Nemo Experience was een drama. Luna en boten bleek net zomin een succes als Luna en auto's. Tegen de tijd dat we bij The Reef waren en Luna de beloofde gekleurde visjes door de bodem zou kunnen zien, lag het arme kind al een uur met haar hoofd in een emmer. Zo ziek als een hond. Ik deed mijn best om haar door haar kotsbuien heen te knuffelen.

Ik moest denken aan Carm, die kon ook niet tegen boten. Toen we op onze huwelijksreis van de kust van Maleisië naar een of ander eiland voeren, dat de moeite waard moest zijn, kotste Carmen zowat de verf van de boot. *'Now, you think you're going to die, but in a few hours you'll hope you're gonna die,'* hield de schipper de lol erin. Achteraf kon de man een vooruitziende blik worden toegedicht. Nu ja, beter een erfelijke zeeziekte dan borstkanker.

Ik voel me iedere dag wel een paar keer schuldig. Misschien had Anne gelijk en was het waanzin om Luna hierheen te voeren. Is het geen auto of boot die haar dag vergalt, dan duikt er wel een aap of injectienaald op om haar pijn te doen.

De rabiësprik vanmiddag in het ziekenhuis van Cairns was niet fijn. Het verband zat vast, deze keer. De truc om een enorme ijsco in het vooruitzicht te stellen had Popov de Kinderlokker niet beter kunnen bedenken. Wat had ik een medelijden met Luna toen die naald er weer in ging. Hierna nog één prik.

Toen we net eindelijk op een terras in het centrum van Cairns aan het ijs en het bier zaten, brak er weer een tropische regenbui los. Bij twee pubs werden we geweigerd (*'Queensla-...'* *'Yeah, Queensland law, I know'*), en ten einde raad zijn we maar teruggegaan naar de *shopping mall*, waarvan ik me herinnerde dat er binnen ook een gigantische food market was. Daar hebben we snel, slecht en goedkoop gegeten, met een meute afgeleefde backpackers om ons heen. Het is dat ik niet op mijn vader wil lijken, anders had ik geschreven dat ze gewoon eens in bad moesten, hun haar laten knippen en daarna rap aan het werk moesten gaan.

Carmen, je zou ons eens moeten zien lopen. Papa en Luna, ver weg van huis, door de stromende regen in een draak van een stad waar we nergens naar binnen mogen.

Waarom moest je godverdomme ook kanker krijgen? Als jij gewoon gezond was gebleven, waren Luna en ik hier niet geweest, dan hadden we nu lekker samen, met z'n drieën op de bank gezeten. Nu lopen wij hier te verkleumen en lig jij onder de grond te rotten. *'I want to spend my life with a girl like you,'* zong ik toch op onze trouwdag? Ik heb je verdomme nodig. Je dochter heeft je nodig.

De regen plenst uit de lucht. Het is nog zeker drie blokken lopen tot de parking.

'Kom, klim op mijn rug, dan gaan we rennen,' zeg ik tegen Luna.

Ze springt op mijn rug en ik begin te hollen. Als ik eindelijk, volledig buiten adem, bij de parkeerplaats aankom, zet ik Luna op de grond, zoek mijn sleutel, open de zijdeur van de camper, til mijn dochter erin en klim achter haar aan.

Eindelijk droog.

Luna staat te klappertanden. Ik trek snel haar kleren uit, wrijf haar droog en help haar een pyjamaatje aan te doen. Ze bibbert nog steeds. Ik stap weer uit, gris via de achterklep een deken van het bed en wikkel haar er als een mummie in. Daarna zet ik haar op de passagiersstoel.

'Zo iets beter?'

Ze knikt en glimlacht flauwtjes.

Zelf trek ik mijn T-shirt uit en ga ik in mijn blote bast achter het stuur zitten. Mijn spijkerbroek, mijn onderbroek, alles is doornat. Ik ril als ik mijn voeten beweeg. Mijn sokken soppen in mijn schoenen. Ik zou er vissen in kunnen houden.[15]

Als ik de camper van de parking afrijd, beslaan de ruiten. Ik veeg ze schoon met de handdoek. De ruitenwissers werken op de hoogste stand, maar nog gaan ze niet hard genoeg. Het stortregent, hele gedeeltes van de weg staan blank. Ik zie geen flikker met dat glinsterende wegdek. Bij een stoplicht kijk ik op het kaartje van Cairns in de Lonely Planet. Nutteloos. Ik kan de straatnaamborden niet eens lezen met dit weer. Rechtdoor maar. Reden we hier vanmiddag al niet langs? Een paar blokken verder versmalt de weg en komen we in een woonwijk. Kut. Fout. Drie afslagen verder parkeer ik de camper recht onder een straatnaambord. Moody Street, kan ik ternauwernood lezen. Hoe toepasselijk. Godsamme, waar zitten we? Het lijkt het industrieterrein van Breda-Noord wel in plaats van een stad in de tropen. Kan iemand me vertellen hoe ik bij dat godvergeten Coconut Caravan Park kom? Er is geen kip op straat. Weet je, bekijk het allemaal maar, morgen lever ik die camper in en boek ik een terugvlucht.

174

Dit is fucking zinloos. Het is dat Luna naast me zit te slapen, anders zou ik in staat zijn om die hele kutcamper hier tegen een muur te rijden.

Ik zet de auto langs de kant van de weg, stap uit en ga met mijn ontblote bovenlijf in de plenzende regen op de trottoirrand zitten.

Plotseling begin ik te janken. Ik sla mijn handen voor mijn gezicht en hoor mezelf schreeuwen, ik schreeuw godverdomme deze hele klotestad bij elkaar. Ik sla met mijn vlakke hand op het asfalt. En nog een keer. En harder. En nog een keer. En weer en weer, tot de pijn in mijn borstkas zich naar mijn hand verplaatst. Ik draai de binnenkant van mijn hand naar mijn gezicht. Tot mijn verbijstering zie ik dat hij bloedt.

Ik staar naar de achterkant van de camper, die met ronkende motor tien meter verderop staat. Ik voel een kalmte over me neerdalen. Ik haal diep adem, probeer op te staan zonder op mijn handen te steunen en loop naar het portier aan Luna's kant. Ze slaapt gelukkig nog, met haar hoofd half tegen de ruit.

Doorweekt loop ik om de auto heen en stap weer in. Ik trek mijn zeiknatte broek uit en gooi hem achter in de camper. Ik pak de handdoek die tussen ons in ligt en dep voorzichtig mijn handen droog. Ze prikken. Daarna kijk ik in mijn achteruitkijkspiegel en draai de weg weer op. Laat ik maar gewoon rechtdoor blijven rijden tot ik een bord tegenkom. Mijn vingers tintelen, ik ril van de kou, slechts gekleed in mijn vochtig geworden onderbroek. De airco zet ik uit. De radio aan. Ik herken de laatste tonen van Fun Lovin' Criminals. '*What's the matter big boys don't cry,*' zingt Huey. Zeker nooit in de zeikende regen van Cairns gezeten. Langzaam fade het nummer weg.

Bij het volgende nummer slaat mijn hart over.

Die intro.

Dat gitaartje.

Die drums.

Die stem.

Ik voel de warmte door mijn verkleumde lijf stromen. '*I want to spend my life with a girl like you...*' The Troggs... '*and do all the things that you want me to... I can tell by the way you dress that you're so refined...*' onze trouwdag '*baby baby is there no chance...*' onze slaapkamer '*...I can take you...*' onze afscheidsdans '*...for a last dance... why should it be that you don't notice me...*' Carm '*...to you across the floor my love I'll send... I just hope and pray that I can find a way to say... Can I dance with you...*' Carmen '*...till that time has come and we might live as one... Can I dance with you...*'

'Dit is toch dat liedje dat jij thuis altijd draait, pap?' zegt Luna met slaperige stem.

DERTIEN

Luna zit te kleuren aan het tafeltje naast de camper.

Ik ben de handdoeken en de natte kleren van gisteravond aan het verzamelen.

We staan vlakbij de toiletgebouwen en de washokken.

'Papa gaat even de natte kleren ophangen. Blijf jij hier?'

Luna knikt.

Met de berg natte kleren onder mijn arm loop ik naar de waslijn.

Voor ik mijn broek ophang, controleer ik of mijn zakken leeg zijn.

Ik vind een bonnetje van de food market en een paar muntstukken.

Ah, en iets kleins in het voorzakje. Een propje.

Ik haal het eruit.

Het zweet breekt me aan alle kanten uit.

Ik zie een opgerold, in elkaar gedrukt zilverpapiertje in mijn hand liggen.

Vanaf Ibiza is het de hele weg met ons meegereisd naar Australië.

Ik zal goed voor je dochter zorgen.

VEERTIEN

Die nacht droom ik over kangoeroes. Ik kom met Ramon terug van een avondje Finch. Als ik Roos zie lopen, op de gracht, duik ik weg. Pas als ik zeker weet dat ze me niet meer kan zien, sta ik op. Ramon lacht me uit. Zijn gezicht ziet eruit alsof hij met zijn hoofd in een teil met poedersuiker heeft gezeten.

We lopen een trappenhal in waar de verf van de muren bladdert. Om ons heen liggen junks. Plotseling staan we op het dakterras van mijn huis. Daar is een boksring. In de boksring springt een kangoeroe rond. Ramon grijnst dat het hem wel geinig lijkt om eens met een kangoeroe te matten. De Dolly's zijn er ook. Ze staan te schateren van het lachen, en zijn stuk voor stuk schapenaakt. Ramon trekt een paar bokshandschoenen aan en stapt de ring in. 'Kom op nou, man,' roept hij me toe. Ik trek een paar bokshandschoenen aan en stap hem trillend achterna. De kangoeroe komt een halve meter boven me uit. Ramon springt in het rond, om het verbaasde beest heen. Hij houdt zijn handschoenen voor zijn gezicht en daagt het beest uit door met zijn tong tegen zijn gehemelte geluiden te maken. 'Tshjk-tshjk-tshjk... tshjk-tshjk-tshjk-tshjk...'

Ineens zet de kangoeroe de aanval in, springt met zijn poten vooruit op Ramon af en geeft hem een optater. Ramon vliegt als in een stripverhaal de ring uit, het dakterras af. We horen hem met een doffe knal op straat neerkomen. We buigen ons over de rand van het dak en zien dat zijn witte gezicht onder het bloed zit en dat zijn arm in een vreemde hoek ligt. De Dolly's gillen en schreeuwen hysterisch dat ik de kangoeroe moet afmaken. Ik begin te huilen en ren de trappen van het huis af, de straat op, werp nog een blik op de dode Ramon, moet overgeven en ren weg, nagejouwd door de Dolly's, die vanaf het dak van mijn huis schreeuwen dat ik een lafaard ben.

Als ik badend in het zweet wakker word is het nog donker. Luna ligt naast me te slapen, met haar speentje in haar mond. De Dolly's zijn weg.

Ik sta op, open het laatje onder het kastje naast de deur, zoek met mijn hand naar het zilverpapiertje en haal het eruit. Daarna open ik zachtjes de deur van de camper, loop op mijn blote voeten in het donker naar de toiletgebouwen en kijk het zilverpapiertje na als het wegspoelt.

VIJFTIEN

Bij de speeltuin van The Coconut Caravan Park staat een billboard met daarop een kangoeroe, een krokodil, een kaketoe en een koala. De dieren hebben allemaal een gat in hun hoofd, waar je je hoofd doorheen kan steken en dat is dan ontzettend geestig voor op foto's, zeggen onze, wederom bejaarde, nieuwe buren.

Luna gaat voor de koala.

Ze is gek op koala's, al heeft ze er nog steeds geen live gezien. We doen samen een paar keer per dag de koalatruc, waarbij ik wijdbeens ga staan en mijn armen schuin omhoog houd, als takken van een boom. Vervolgens gaat Luna op een kruk of tafel staan, klimt in me en roept dan heel hard dat ze een koala is.

Nu zit ze in het gras te spelen. Ik zit naast haar in een tuinstoel te lezen. Ik ben begonnen aan *Veronica Decides to Die*, een nieuwe Paulo Coelho. Ik heb hem vandaag in een boekwinkel in Kuranda gekocht. Kuranda is het stadje dat hier vlakbij ligt en als opstapplaats dient voor de *scenic railroad*.

De hele rit in dat historische boemeltje, langs ravijnen en watervallen, en daarna, in de kabelbaan, dwars door het tropisch regenwoud, hield het me bezig.

Zit ik niet veel te strak in Nora's zweefmolen? Lees ik niet te veel van die boeken van Paulo Coelho? Praat ik mezelf niet gewoon aan dat Carmen er op een of andere manier nog is, gewoon, omdat ik het idee niet kan verdragen dat ze dood is? Wat zegt het nu helemaal: een nummer op Rock Radio Cairns dat toevallig ook op Carmens begrafenis werd gedraaid?

Maar toch.

'With A Girl Like You'. Uit 1968. Dat hele nummer heb ik in Nederland nog nooit op de radio gehoord. Zo gauw ik in de buurt van een platenzaak kom, ga ik navragen of die plaat niet gewoon opnieuw is uitgebracht in Australië, misschien dat hij daarom wel werd gedraaid.

Ik ben niet de enige die aan Carmen denkt. Vanochtend bij het ontbijt naast de camper, kreeg ik ineens een kus van Luna. Ze stond op, haar mond nog half vol boterham met pindakaas en gaf me een zoen op mijn mond. Zomaar.

'Jij bent lief, papa,' zei ze.

'Daar ben ik toch papa voor,' antwoordde ik.

'Ik moet extra lief voor jou zijn omdat mama dood is,' zei ze. 'Want jij huilt nog vaker dan ik,' voegde ze eraan toe.

Ik nam me voor om mijn tranen voortaan wat vaker voor haar verborgen te houden. Het lijkt me niet goed dat ze zich verantwoordelijk voelt voor het welzijn van haar vader.

Nu zit ze tevreden met haar popjes te spelen. 'Pap?'

'Ja?'

'Als mensen dood zijn...'

Ik kijk op. Ze heeft een hele opstelling gemaakt op het gras. Popje ligt in een doosje. Popje 11 en haar andere knuffels zitten eromheen. 'Ja?'

'Dan kunnen ze niet meer wakker worden, net zoals Doornroosje, hè?'

Slik. 'Nee. Helaas niet.'

Ze knikt en draait haar hoofd weer naar haar popjes. Ik kijk met een schuin oog mee. Twee knuffels tillen de doos met Popje erin op en dragen hem weg.

'Pap, wilde mama dood?'

'Hoe kom je daar nou bij?'

'Waarom heeft ze dan dat drankje gedronken?'

O. Even de Afdeling Educatieve Gesprekken ter Voorkoming van Jeugdtrauma's inschakelen nu. Straks gaat ze nog denken dat haar mama geen zin meer had om nog langer haar mama te zijn.

'Mama wilde helemaal niet dood. Maar toen ze op het eind zoveel pijn had, toen heeft ze gevraagd om een drankje.'

'Vond jij dat goed?'

'Ja. Anders was ze de dag erna, of de dag daarna toch doodgegaan en dan had ze steeds meer pijn gekregen. Dat wilde ik niet.'

'Ik ook niet.'

Stilte.

Luna laat de knuffels de doos weer neerzetten, zie ik. De doos valt om, Popje valt eruit. Ze legt hem terug. De andere knuffels en Popje lopen weg, dicht tegen elkaar aan.

'Soms zie ik mama nog,' zegt Luna ineens.

'H-hoe bedoel je?'

'Gewoon, als ik slaap.'

'Dan droom je over mama, schatje,' zeg ik glimlachend.

'Neehee! Ze praat tegen me.'

Waar is dat handboek pedagogiek? Waar is die kinderpsycholoog? Wat hoor je hierop te zeggen als vader? Beamen? Weerleggen? Bagatelliseren?

'Maar eh... wat zegt mama dan?'

'Dat ze bij ons is.'

Heb ik weer. Eindelijk een gesprek met Luna zoals ik dat met een volwassene zou kunnen hebben, weet ik niet wat ik moet zeggen.

'Ik heb nooit van die dromen,' zeg ik. Ik hoor jaloezie doorklinken in mijn stem. In al die maanden heb ik nog geen enkele keer over Carmen gedroomd.

'Het zíjn geen dromen!'

'Goed, goed,' zeg ik haastig. 'Maar wát zegt ze dan?'

'Dat ze bij ons was, zei ik toch.'

'Bij ons... hier? In Australië?'

'Ja.'

Luna zegt het met een vanzelfsprekendheid die is voorbehouden aan hen die hun leeftijd nog op één hand kunnen tellen.[16]

'O? En eh... hoe zag mama eruit?'

Straks ga ik haar nog vragen of de kerstman echt bestaat en of zij misschien weet hoe die rendieren het voor elkaar krijgen om die vetzak op zijn slee de lucht in te krijgen.

'Gewoon, zoals mama. Maar ze had geen vleugels.'

We zijn nu ruim een maand met z'n tweeën in Australië. De apenvinger is hersteld. Er zijn geen tekenen van rabiës. Van Carmen de laatste tijd ook niet meer. En De Vrouw Die Mijn Leven Gaat Veranderen heeft blijkbaar ook geen haast.

Bij de receptie van The Flying Fish Point Caravan Park koop ik een telefoonkaart. Dan hoef ik tenminste niet bang te zijn dat een paar telefoontjes naar Nederland me een godsvermogen kosten. Terwijl ik met Luna aan mijn hand naar de telefooncel bij de ingang van de camping loop, bedenk ik wie ik zal bellen. Het liefst zou ik even met Roos willen kletsen, maar die heeft sinds Bangkok niet meer gebeld of ge-sms't.

In Ramon heb ik geen zin.

Dan Thomas en Anne maar. Ik krijg Thomas aan de lijn.

'Stijnemans!'

'Ha!'

Hoe het gaat. Of er nog lekkere wijven rondlopen hier.

Ik zeg geprikkeld dat ik daar niet echt tijd voor heb, met Luna. Thomas zegt dat hij het wel stoer vindt, ik alleen met Luna daar.

'Dat pakken ze je nooit meer af, jongen.'

Nee, deden ze dat maar, denk ik, omdat Luna op hetzelfde moment begint te zeuren dat ze zich verveelt.

'Ik moet weer gaan hangen, jongen,' zucht ik. Thomas vraagt hoe lang we nog wegblijven. Ik durf niet te zeggen dat ik elke dag wel een keer overweeg om er de brui aan te geven en terug te vliegen.

'Wacht even, Stijn,' zegt Thomas. 'Anne boert iets tegen me...' Ik hoor haar roepen dat ze me gemaild heeft.

'Ik moet van Anne zeggen dat ze je nog een paar m.a.'tjes-...'

'M.a.'tjes, Thomas. Moederlijke adviezen.'

'O. Nou ja, ze heeft je wat gemaild. Dus of je je hotmail wilt checken.'

Ik antwoord dat ik dat direct zal doen en hang op. Daarna neem ik Luna mee naar de campingwinkel en laat haar een ijsje uitkiezen. Tevreden likkend loopt ze met me terug naar de telefooncel.

Er staat nog een paar dollar op mijn kaart.

Zal ik Maud eens bellen? Excuses, vragen hoe het met Merk in Uitvoering gaat, voorzichtig laten merken dat ik van de coke af ben.

Ik krijg een nieuwe stagiaire bij Merk in Uitvoering aan de lijn. Ik vraag of Maud er is.

'En wie moet ik zeggen dat er belt?'

'Stijn.'

'Is het zakelijk of privé?'

'Vertel Maud nou maar gewoon dat Stijn aan de lijn is,' zeg ik bits.

Ik word even in de wacht gezet.

'Maud is net de deur uit.'

'O.' Zal ik... Welja. Kom op. 'En eh... Frenk? Is die er misschien?'

'Nog één ogenblik, alstublieft, meneer Stijn.'

Ik word weer in de wacht gezet.

'Meneer Stijn?'

'Ja.'

'Frenk is er niet.'

ZEVENTIEN

Van: Anne_en_thomas_en_de_kinderen@chello.nl
Verzonden: 29 oktober 2001
Aan: Stijnvandiepen@hotmail.com
Onderwerp: nog een m.a.'tje

Hoi Stijn!

Hoe hebben jullie het daar? Gaat alles goed? Is Luna nog steeds zo wagenziek? Wel sneu, nu jullie zoveel rijden. Ik heb het nog even bij de apotheek
nagevraagd, er is een heel goed middel dat ook in Australie verkrijgbaar is:
Dramamine van Pfizer.
Nog een m.a.'tje: geen sinaasappels geven voor het rijden en niet laten
lezen. Waar je trouwens ook voor moet uitkijken zijn box jellyfish, die
schijnen vooral voor kinderen levensgevaarlijk...

Ik klik de mail weg. Dag Anne.

Van: Maud@strategicandcreativemarketingagencymerkinuitvoering.nl
Verzonden: 1 november 2001
Aan: Stijnvandiepen@hotmail.com

Hoi Stijn.

Had nog geen zin om je te spreken, hoop dat je dat begrijpt.
Ik was woedend toen ik hoorde dat Roos met je mee was naar Thailand.
Heb je de kluit gewoon wéér belazerd. Roos mailde me een paar weken

terug, ze wil een keer met me praten. Ik heb gezegd dat ik haar zal mailen als ik daaraan toe ben. Misschien dat ik dat deze week maar eens doe. Zij kan er ook allemaal niks aan doen.

Frenk praat pas sinds een week weer een beetje met me. Ik heb al wel honderd keer laten weten hoezeer het voorval op Ameland me spijt, maar hij is zo gekwetst, dat kun je je gewoon niet voorstellen. Zal me benieuwen of de vriendschap ooit weer wordt zoals hij was.
Hoe lullig het ook klinkt: ik kom er steeds meer achter dat het voor iedereen het beste is dat je een tijd weg bent.
Toch hoop ik dat het goed gaat daar. Geef Luna een dikke knuffel van me.

Maud

Hm. Fijn om te horen.

Van: Natasja@strategicandcreativemarketingagencymerkinuitvoering.nl
Verzonden: 2 november 2001
Aan: Stijnvandiepen@hotmail.com

Ha Stijn!

Hoe gaat-ie? Verveel je je nog niet? Ik niet in ieder geval, hihihi. Het was Amsterdam Dance Event dit weekend. Vrijdag was Roger Sanchez in More, zaterdag ben ik met de meiden, Ramon en die jongens uit Den Haag, van Ibiza weet je nog, naar een feest in de Powerzone geweest, helemaal te gek. Zondag was ik naar de klote, want we waren 's ochtends om zes uur nog naar een after geweest in de stad en die Hagenaars sliepen bij mij, nou, dan weet je het wel. We waren zover heen dat...

Ik delete de mail.

Van: Ramon_del_estrecho@gmail.com
Verzonden: 4 november 2001
Aan: Stijnvandiepen@hotmail.com

Stijntje!

Klootzak, hoe gaat het met je? Hoe is het daar met die kutkangaroes? Godverdomme man, hoe lang ben je nou al weg? Wanneer kom je terug? Hé, ik bel je wel een keer binnenkort, wil wat geile verhalen van je horen over die Australische wijven. Heb je nog hetzelfde mobiele nummer?

R.

Van: Frenk@strategicandcreativemarketingagencymerkinuitvoering.nl
Verzonden: 7 november 2001
Aan: Stijnvandiepen@hotmail.com
Onderwerp: freelancer en aandelen

Stijn,

Twee zakelijke kwesties.
1. Ik heb een freelancer op Volkswagen gezet. Het is die jongen die vroeger nog bij BBDVW&R/Bernilvy als strategyplanner heeft gewerkt. Ik ben heel tevreden over hem en de klant ook. Daarom wil ik hem een contract aanbieden, maar daar moet jij toestemming voor geven. Zou je mij dat willen bevestigen?

2. We moeten maar eens nadenken wat je voor je aandelen wilt hebben. Ik kan onze accountant eventueel vragen om een voorstel te doen.

Sterkte daar.
Frenk

ACHTTIEN

WONGALING BEACH, POPULATION 120, staat er op het bord. Er is hier geen kroeg te bekennen en het enige verschil tussen de vrouwen en de mannen hier is dat de laatsten baarden hebben. Ik heb weer eens een dag dat ik geen Sesamstraat-memory of glijbaan meer kan zien. Daarom vroeg ik Luna vanochtend voorzichtig of zij onderhand geen zin had om haar vriendinnetjes van de crèche in Amsterdam weer te zien.

'Nee,' antwoordde ze geschrokken, 'ik vind het hier fijn, met jou.'

Eigenlijk maar goed ook. Na alle hartverwarmende steunbetuigingen heb ik in Amsterdam helemaal niks meer te zoeken. Roos lijkt van de aardbodem verdwenen, de mailtjes van Frenk en Maud lieten niets aan duidelijkheid te wensen over en Anne's bemoeizucht kan ik al amper hebben per mail, laat staan live. Nu kan ik haar tenminste nog wegklikken. Ramon en Natas en hun hele cokebrigade vind ik steeds zieliger worden en ik heb niet eens zin om te neuken, dus de Dolly's kunnen me ook gestolen worden. Ik hen waarschijnlijk ook. Het lijkt wel of niemand het erg vindt dat ik er niet ben. Ja, een paar pornosites, die me mailden of ik geen zin had om weer eens langs te wippen.

Ach, laat ze het lekker bekijken, daar in Amsterdam.

Maandenlang hebben ze van mij, mijn drank, mijn drugs, mijn geld en mijn lul geprofiteerd en nu is het ineens 'goed dat ik een tijdje weg ben'.

Misschien blijf ik de rest van mijn leven wel hier in Wongaling Beach (*population* ~~120~~ 122). Luna zou het prima vinden. Maak ik tenminste nog iemand gelukkig. Misschien heb ik zelf mijn kansen wel gehad. Carmen kwijt, Roos kwijt, mezelf kwijt. *Game over, no replay.* Soms zou ik willen dat het zo was. Dat er een deleteknop op mijn leven zat.

Maar Luna is bij me. *En ik zal goed voor je dochter zorgen.*

NEGENTIEN

Na een kleine twee maanden Australië zijn Luna en ik aardig ingeburgerd. Ik zeg *g'day* in plaats van hallo en *no worries* in plaats van Ja-hal-lo-maar-we-zitten-hier-al-een-halfuur-en-die-mensen-naast-ons-hebben-hun-drank-allang-en-breed-gekregen-godverdomme.

Het dagelijks leven begint een beetje te wennen.

Het is niet leuk, het ís gewoon. De dag bestaat uit spelen met Luna, zorgen dat er gegeten en gedronken wordt, afwassen, zwemmen, zo lang mogelijk uitstellen tot Luna haar walkman mag luisteren, tot ze zo naar het ding smacht dat ik een halfuurtje voor mezelf heb om een boek te lezen of om snel even ergens mijn hotmail te checken.

En ondertussen wat van Australië proberen te zien, nu we er toch zijn.

Zo houden we samen een lijst bij van de dieren die we zien. Daar zitten vreemde snuiters bij. Laten we wel wezen, wie verzint er nu in godsnaam een kangoeroe, een emoe en een vogelbekdier? Dan moet je je als schepper toch dood hebben verveeld of op zijn minst flink aan de paddo's hebben gezeten.

Op ons lijstje vreemde vogels staan reeds de ketchupvogel – een vogel die volgens Luna 'ketchup' roept; dat soort illusies moet je kinderen niet ontnemen – en de vetkuifduif, een beest met een kuif op zijn kop waar Elvis een diepe buiging voor zou maken.

De andere dieren hebben we alleen nog maar op verkeersborden gezien. Iedere kilometer staat er wel een bord met de afbeelding van een dier dat op die plek doodgereden kan worden. Vooral kangoeroes schijnen de vreemde gewoonte te hebben om op koplampen af te komen. Dat geeft een enorme rotzooi. Ik heb overdag al enkele flarden kangoeroe langs de kant van de weg zien liggen, maar dat heb ik wijselijk verzwegen voor Luna. Ze is gek op kangoeroes en laten we eerlijk zijn, ze zíjn ook om op te vreten.

Gisteren at Luna voor het eerst een stukje, ze vond het heerlijk.

Ik zei dat het kip was.

Kangoeroevlees is hier hip. Als restaurant hoor je er niet bij als je het niet op het menu hebt staan. Eerst vond ik het wat pervers om je nationale symbool op te eten, maar ja, Nederlanders eten ook kaas en er waren tijden dat we massaal aan de bloembollen gingen. Verder dan dieren eten en bezichtigen komen we niet.

Zo zou er op Dunk Island, op een vloek en een zucht afstand van Mission Beach, een *artist colony* zijn, een prachtige dertien kilometer lange *walking track* met *superb island views* en meer dan *150 species of birds*. Althans volgens Lonely Planet, ik heb de kans niet gekregen om er iets van te zien. Madame Luna had geen zin in deze attractie. Ze wilde met haar knuffels spelen. We kwamen niet verder dan de steiger waar we aan het begin van de middag waren gedropt. Toen we weer op de ferry naar het vasteland stapten hoorde ik van de andere, laaiend enthousiaste passagiers dat het eiland fenomenaal mooi was.

Sightseeing moeten we voorlopig maar vergeten.

Daarom zijn we op mijn initiatief fanatiek aan het zwemmen geslagen. Over een paar weken komen we bij de Whitsundays en daar schijn je met een zeilboot naar de prachtigste snorkelplekken in ondiep water te kunnen varen. Met een paar zwemvliesjes en bandjes om haar armen denk ik dat het moet lukken om Luna aan het *fishspotting* te krijgen. Vorige week ben ik begonnen met de schoolslag. Elke dag krijgt ze minstens een kwartier les. Ik hou haar vanachter vast bij haar voeten, en beweeg die op en neer, ondertussen 'spreid-strek-kikkervoeten' roepend. Zodra ik haar loslaat, stopt ze met zwemmen en gaat ze staan. Als dat niet lukt, omdat het te diep is, raakt ze in paniek, ondanks de Winnie de Poeh-zwemband die we hier hebben gekocht. We hebben nu zeven lessen achter de rug. Met haar armen doet ze het heel redelijk, maar haar benen bewegen heel raar.

Het tweede educatieve project – we hebben toch zeeën van tijd – is het spelen met andere kindjes. Zelf durft ze niet zo goed, daarom neem ik Luna aan mijn hand mee als er ergens kindjes aan het spelen zijn en stel haar dan voor als '*Luna from Holland who would like to play along*'.

De eerste keer, deze week op het strand van Mission Beach, zat ze binnen twee minuten weer bij mij op mijn handdoek.

De keren daarna wilde ze alleen als ik ook meespeelde. Stijn werd snel de held bij haar speelkameraadjes, want mijn Hollandsche bruggen, dammen en dijken stegen architectonisch, ontwerptechnisch en waterbouwkundig ver uit boven die van de Australische kleuters. Luna glunderde en kreeg al snel meer zelfvertrouwen. Ze begon zelfs, als een echte Nederlandse, commando's uit te delen aan de andere kleuters. In het Nederlands.

De laatste paar keren hoef ik niet meer mee te doen, zolang ik maar in de buurt blijf. Dan doe ik alsof ik zit te lezen, maar ondertussen kijk ik naar mijn spelende dochter en maak ik stiekem foto's. Anne en Carmens moeder hebben al een pakket van me opgestuurd gekregen. Het liefst zou ik Roos ook een envelop met foto's sturen, maar dat durf ik niet. Ik heb wel een foto naar Natas bij Merk in Uitvoering gestuurd. Misschien dat Frenk en Maud hem dan ook wel onder ogen krijgen. Ik wil vooral dat zij zien dat het goed met ons gaat.

De eerste weken keek ik in het weekend nog weleens op de internetsites van Paradiso en More welke geweldige feesten er werden gehouden, maar nu besef ik soms niet eens dat het weekend is.

Ook hier heb ik weinig behoefte aan mensen om me heen. Af en toe raak ik in gesprek met iemand in een restaurant of op een camping, maar langer dan een kwartier heb ik het nog met niemand volgehouden. Het boeit me niet waar ze vandaan komen en waar ze naartoe gaan. Eerlijkheidshalve moet ik erbij zeggen dat nog geen enkel lekker wijf mijn pad heeft gekruist, want dat is toch de lakmoesproef. Voorlopig mis ik ze niet, de vrouwen, ik mis zelfs de seks niet. Ik heb me nog niet eens afgetrokken hier, al zou dat ook niet eenvoudig zijn, met Luna die naast me ligt in een bed van 1,30 meter breed.

Ik moet nog oppassen dat de zaak niet gaat verklonteren.

TWINTIG

We hebben het in Mission Beach een week volgehouden. Het kostte niet eens moeite, terwijl er geen ruk te doen is.

Vandaag wil ik in één ruk doorrijden naar Townsville, weer een paar honderd kilometer verder naar het zuiden. De reispillen voer ik Luna al voor het ontbijt, om ze ruim voldoende tijd te geven zich *camper proof* te nestelen in haar lijfje.

Het werkt. De tweehonderdvijftig kilometer gaan kotsloos voorbij. Luna is opgewekt en vraagt niet één keer hoe lang we nog moeten, terwijl het, met de strikte *speed limits*, een rit van bijna vier uur is en er onderweg helemaal niks te zien is. Het landschap om ons heen is zo dor als de baard van Sinterklaas. Een standbeeld voor Anne en haar sprookjescassette.

Het laatste halfuur van de tijd, als de cassette twee keer beluisterd is, brengen we zingend door.

Ik zet luidkeels in. '*Op een kangoeroe-eiland, waar je kangoeroes vindt, speelt een kangoeroevader, met zijn kangoeroekind, en met z'n allen nou...*'[17]

Twintig kilometer en twee dode kangoeroes verder kent Luna de tekst ook uit haar hoofd.

Zingend rijden we Townsville binnen.

Als beloning voor het lief zijn tijdens de lange rit gaan we, voor we naar de camping gaan, eerst op zoek naar een speeltuin. Terwijl ik met de camper langs de boulevard van het stadje rijd, zie ik er meteen eentje, in de grasstrook tussen de weg en het strand. Ik parkeer de camper en zeg tegen Luna dat ze er zo lang mag spelen als ze wil.

Zelf ga ik in het gras zitten en neem uit gewoonte mijn gsm uit mijn zak om te kijken of er nog sms'jes zijn. Natuurlijk niet. Ik ben al niet meer door iemand gebeld of ge-sms't sinds Roos vanuit Bangkok naar Amsterdam vloog. Ik speel met de gedachte om haar eens te bellen. Dat moet nu toch onderhand wel een keer kunnen, na acht weken, dunkt me. Gewoon even horen hoe het met haar is. Ik heb bewezen dat ik haar met rust kan laten. Hoewel mijn vingers af en toe jeukten, heb ik haar verdorie nog geen mailtje gestuurd.

Ik reken uit hoe laat het nu in Nederland is. Ochtend. En wat voor dag is het eigenlijk? Geen idee. Ik moet aan een andere ouder in de speeltuin vragen wat voor dag het is. Vrijdag. Ik toets de snel-keuzetoets in, maar druk het gesprek weer weg nog voor de telefoon overgaat.

Tot drie keer toe neem ik mijn gsm in mijn hand en leg hem telkens weer weg.

Wat heb ik haar te vertellen? Dat het weer hier goed is en dat de maximumsnelheden nergens op slaan? Of het verheffende nieuws dat ik me vanochtend in de douche op het Hideaway Caravan Park in Mission Beach heb afgetrokken op de foto's die ik van haar heb gemaakt in ons appartement op Koh en na weken van onthouding zo heftig klaarkwam dat ik zowat door de klapdeur naar buiten viel? Of zal ik haar enthousiast verslag doen van Carmens verschijning in Luna's dromen en de playlist geven van de radiozenders hier, vooral als dj Carmen draait? 'Nee, we missen je niet, hoor, want Carmen reist gezellig met ons mee.'

Daarom tik ik maar een babbeldebabbel-sms met een verhaal dat het goed met me gaat, en met Luna ook, zolang we tenminste niet in of op iets zitten dat beweegt, en dat ik hoop dat het ook goed gaat met haar in het verre, herfstachtige Amsterdam. Ik verzend het bericht.

Iedere paar minuten kijk ik vervolgens of ik geen inkomende sms heb gemist.

Juist als ik op handen en voeten door een rode plastic pijp van het speelgoedlabyrint kruip en met grommende geluiden een gierende

Luna achternazit, hoor ik de verlossende piepjes binnenkomen. Ik weet niet hoe snel ik die slurf uit moet komen.

Fijn dat het zo goed gaat met je. Vervelend, van Luna. En je moet nog zoveel rijden? Ik hier paar moeilijke weken gehad, gaat nu goed. Vanavond met Maud afgesproken om hapje te eten. Was wel fijn om even van je te horen, maar nu wil ik dat je niet meer sms't. X. PS: Ben wel trots op je, goede papa.

Het leven gaat door in Amsterdam. Zelfs dat van Roos.

EENENTWINTIG

Ik zit aan de andere kant van de fucking wereld en maak me nu al de hele nacht druk over hoe een vrouw, die niet mijn vriendin is, haar avond in Amsterdam gaat doorbrengen. Zal ik haar nog één keer sms'en, gewoon, om haar plezier te wensen vanavond met Maud? Naast me ligt Luna zachtjes te snurken. Hoe laat is het in Nederland? Halfzeven in de avond. Hoe laat zullen ze hebben afgesproken? Maud werkt tot een uur of zes, dan wil ze natuurlijk even tutten, een uurtje of acht, denk ik. Waar zouden ze eigenlijk heen gaan? Roos en Maud. De afgelopen maanden waren ze niet bijster close. Maud was stilletjes jaloers op Roos omdat ze donders goed zag hoeveel zij voor mij betekende, Roos moest op haar beurt niet al te veel van Maud hebben. Ze weet waarschijnlijk ondertussen ook wel dat we op Ameland geen Sesamstraat-memory hebben gespeeld, gezien de heftige reactie van Frenk.

Toch zouden ze zomaar eens goeie vriendinnen kunnen worden, nu ik op veilige afstand zit. Ze komen allebei uit Breda, ze houden allebei van lekker eten en ze voelen zich allebei niet thuis tussen de strak vormgegeven Dolly's uit het clubje van Natas.

Ik heb zo'n gevoel dat het uit de hand gaat lopen met die twee vanavond. Die gaan het natuurlijk onder het eten op een zuipen zetten en dan kun je erop wachten dat ze geheimen gaan uitwisselen, want zo zijn vrouwen. Voor je het weet weten ze precies van elkaar hoe, waar en waarin ik het bij ieder van hen deed en snappen ze plotseling zooooo goed van elkaar waarom ze gedaan hebben wat ze gedaan

hebben met mij om elkaar daarna gierend van het lachen te omhel-
zen, te zoenen, te proosten en te zweren dat ze vanavond allebei de
eerste de beste gozer die er een beetje uitziet mee naar huis nemen
om zich flink uit te laten wonen.

Slettebakken.

Wedden dat ze, tegen de tijd dat ze de Pilsvogel of de Bastille in
rollen, een gewillige prooi zijn voor al die bronstige eikels die daar
rondlopen?

Wat Maud doet, interesseert me niks, al laat ze zich helemaal uit
elkaar trekken, maar mijn maag draait om bij het idee dat Roos seks
heeft met iemand anders.

Tien over drie.

In Amsterdam is het nu, even denken, net zeven uur geweest.
Roos zal zich wel aan het soigneren zijn. *Dressed to kill*, want ze weet
dat Maud ook niet flauw is. Die zal haar sjorsen er wel weer zo ver
uit laten hangen dat er eigenlijk rode vlaggetjes aan zouden moeten
hangen om er veilig mee over straat te kunnen.

Waarschijnlijk trekt Roos dat zwarte rokje aan met dat kanten
hemdje. Ordinair truttig. En die zwarte laarzen. Of die roze muiltjes
met hakken.

Ik kan ze natuurlijk allebei een prettige avond wensen. Dan kan ik
meteen checken of Maud nog steeds kwaad is.

Wat let me. Dat is toch heel attent?

Veel plezier vanavond met Roos.
Leuk dat jullie samen gaan. Waar ga je heen?
Hier alles top! X

Da's een.

Heel veel plezier vanavond, Godin. Kijk uit voor
foute mannen.

Er gaan vijf minuten voorbij zonder dat ik iets hoor. Hij was toch wel

verzonden, hè? Zal ik nog een keer... Nee, ik heb het verzendenve-
lopje echt gezien.

Al acht minuten voorbij. Kut. Waar bemoei ik me ook mee?

Nog steeds niks. Meer dan tien minuten al.

Heb ik wel goed gerekend, is het wel avond in Nederland? Even kijken. Australische tijd min acht uur. Klopt toch.

Als mijn berichtje bij Roos maar niet helemaal verkeerd gevallen
is.

TWEEËNTWINTIG

Langzaamaan wordt het licht. Ik lig alweer twee uur te piekeren. Zou Maud Roos verklapt hebben dat wij het op maandagavond na De Eetclub bijna altijd met elkaar deden? Waarom verzweeg ik voor Roos dat ik naast haar met zoveel andere vrouwen seks had, dat ik af en toe door de benen het bos niet meer zag? Ik weet heus wel waarom. Pure lafheid. Ik wist dat ze dat, al waren we geen vriendje-vriendinnetje, nooit had geaccepteerd en ik wilde Roos niet kwijt. Binnen enkele maanden de enige andere vrouw verliezen bij wie ik me lekker voelde, dat wilde ik mezelf niet aandoen.

Voor gewetenswroeging was geen plaats in de maanden na Carmens dood. Ik peinsde er niet over me in te houden, voor niks en niemand niet. Diep vanbinnen voelde het zelfs als een belediging naar Carmen toe als ik Roos, die niet eens mijn vriendin was, ineens wél trouw zou zijn geweest. Nee, de enige gewetenswroeging die ik ooit had gehad, was juist vanwege Roos. Ze was de eerste vrouw met wie ik ooit vreemdging en voor wie ik iets voelde. Iets dat ik altijd had willen voorkomen.

Misschien zat er zelfs wel een bizarre vorm van wraak in mijn sloeriegedrag na Carmens dood. Alsof ik het via een zonderlinge hersenkronkel ineens Roos kwalijk begon te nemen dat ik door háár toedoen Carmen had bedrogen.

DRIEËNTWINTIG

'Pap, wat gaan we doen vandaag?'

Wachten tot Roos wakker is en haar bellen, waarom ik godverdomme nog niks heb gehoord en wat ze allemaal heeft uitgespookt vannacht...

'Eh, zullen we eens kijken wat er hier allemaal te doen is?'

Ik pak de Lonely Planet uit het kastje boven de bedbank en kijk wat ik op de pagina's van Townsville heb omcirkeld. Hoe verrassend. 'Heb je zin om visjes te gaan bekijken?'

Ik neem haar op mijn schoot. 'Er is hier een heel groot aquarium in de buurt.'

Ze kijkt me niet-begrijpend aan.

'Een heel grote vissenkom. Daar kun je doorheen kijken.'

Ze knikt. Plan goedgekeurd. Nu het zwaarder verteerbare deel van het dagprogramma: 'En straks wil papa nog even naar een internetcafé. Ik moet even mailen.'

Vragende ogen.

'Berichtjes sturen naar oma en Anne en Thomas. Dat het goed gaat met ons.'

'En naar Roos?'

'Eh... misschien ook wel, ja. En dan mag jij daar even naar je walkman luisteren, goed?'

Ze knikt. 'Gaan we dan ook nog naar die speeltuin van gisteren?'

Op de camping huur ik een fiets bij Koala Bike Hire, een bedrijfje dat tot Luna's grote genoegen een koala als logo heeft. Op ieder helmpje staat er een. Bij de camper gooi ik onze zwemspullen in een rugtas, leg het helmpje dat voor mij was bedoeld in de cabine en trap richting Great Barrier Reef Wonderland.

De kassajuffrouw, die me doet denken aan een aangespoelde potvis, overhandigt ons de kaartjes. We lopen een hal in, waar een wereldbol hangt. Ik loop op de bol af en wijs Luna aan waar Nederland en Australië liggen. Ze legt haar armpjes om het ding heen en kan met haar wijsvingertjes net beide landen aanraken. De foto die ik ervan maak, zal het goed doen in Amsterdam.

We komen bij een glazen tunnel, waarboven haaien, roggen, reuzenschildpadden en een andere indrukwekkende vis zwemmen. Ik heb in Amsterdam veel van onderen gezien, maar nog nooit een haai of reuzenschildpad, laat staan een Humphead Maori Wrasse.

Luna zorgt er angstvallig voor dat ze precies in het midden van de tunnel blijft, op gepaste afstand van het glas, en volgt met open mond de over haar heen zwemmende haaien, als in een slow motion tenniswedstrijd. Ze heeft haar handje stevig aan de mijne vastgeklonken.

Eindelijk zien we ook de clownvis live. Luna vindt hem wel grappig, maar de zeehonden zijn haar grote favoriet vandaag. Ze is niet weg te slaan bij het bassin.

Af en toe kijk ik op mijn gsm of Roos nog steeds niets van zich heeft laten horen.

Op het eind van de tour mag Luna kiezen tussen een pluche zeehond of clownvis. Ze kiest voor de zeehond. Of voor de clownvis. Of toch maar voor de zeehond.

Met een pluche zeehond en een pluche clownvis onder mijn arm lopen we naar buiten. Dat wordt vanavond krap in bed.

Als we met de fiets bij de speeltuin aankomen, begint Luna te kraaien. Ik kan niet ontdekken wat er zo bijzonder is aan de glijbaan, het klimrek en de wip hier. Het zal er wel mee te maken dat deze plek na gisteren vertrouwd is. Kinderen zijn net oude mensen: waarom verkassen als het ergens goed is? Wat Luna betreft zouden we de rest van Australië kunnen skippen. Ze rent naar de glijbaan waar ze gisteren ook een keer of driehonderd vanaf is geweest, ik ga in het gras liggen. En tuur weer naar mijn gsm.

Nog steeds geen sms.

Twaalf uur. Vier uur 's nachts in Amsterdam. Jezus, zou ze nu nog steeds niet thuis zijn? Of zou ze al slapen?

Bekijk het maar, ik waag het erop.

Dag Godin, liggen hier bij een speeltuin aan boulevard in tropisch Townsville, net haaien en clownvissen gezien in Reef aquarium, super. Straks een uitgebreid verslag op e-mail, gaan vanmiddag naar internetcafé. Hoe was het vanavond? Als je al slaapt hoor/lees ik het morgen wel. X.

Mijn hart klopt in mijn keel als ik op 'verzenden' druk. Wat een hoop woorden om te vragen wat ik wil weten: of er iemand bij haar in bed ligt. Ik moet nooit schrijver worden.

Binnen een minuut piept mijn gsm.

Net thuis. Was heel egzewllig. Mme Jeannette, Pilsvogel, club more. Nu naar bed. Ik probeer je uit mjn hoofd te zetten. Geef me die kans.

Ja, en wat gebeurde er in Club More? Hallo? Wat moet ik nu met dit soort informatie? Ze is verdomme zo dronken als een tor. Er zal toch niemand bij haar zijn? Nee, anders schrijft ze niet 'nu naar bed'. Hoewel, zo terloops, midden in de sms... zo zou ik het ook doen.

Piep. Pieeeeeep.

Ah! Ze ligt dus nog niet te neuken.

O, ik heb je trouwnes vanmiddg een lange mail gestuurd.

Ik voel mijn keel dichtknijpen. Een lange mail.

Waar is hier ergens een internetcafé?

Ik pak de Lonely Planet en sla hem op bij de bladzijde waar het foldertje van Great Barrier Reef Wonderland tussenzit. Ik had het al omcirkeld. Hier vlakbij.

Waar is Luna? Op de glijbaan.

'Luna!'

Ze zwaait.

Ik gebaar dat ze moet komen.

Ze schudt nee, glijdt van het ding af en rent weer naar het trapje.

Ik sta op uit het gras en loop naar haar toe. 'Zullen we zo weer eens verdergaan?'

Haar mondhoeken zakken naar beneden. 'Maar we zijn hier pas net...'

'Ja, maar, we moeten vandaag eh... nog best wel veel dingen doen...'

'Wat dan?'

'Naar dat café waar papa mailtjes moet sturen. En ik heb honger, jij toch zeker ook wel?'

'Nee,' zegt ze hoofdschuddend. 'Ik wil liever doorspelen.'

Ze rent terug, dit keer naar het klimrek, waar ik gisteren ook een kwartier heb staan onderhandelen voor het haar eindelijk beliefde om mee te gaan.

Nu ik weet dat Roos me een mail heeft gestuurd zit ik met mijn hoofd weer net zo in Amsterdam als toen ik er met mijn hele lijf zat.

Iets zegt me dat dit niet de bedoeling kan zijn.

Jammer dan. Ik wil weten wat ze heeft gemaild.

'Nog heel even, schat,' roep ik. Luna doet of ze me niet hoort.

Verdomme, we zitten hier nu al bijna een uur. Bij elke speeltuin waar we tot nu toe waren begon ze binnen de kortste keren te zeuren of ik de schommel wilde aanduwen of haar onder aan de glijbaan wilde opvangen en nu zwaait ze me lachend toe alsof ze niet van plan is om hier de eerste dagen te vertrekken.

Ik sta op en loop richting glijbaan.

'Luna, we gaan.'

'Waarheen?'

Zucht. 'We gaan eten.'

'Komen we hier straks weer terug?'

'Nee, na het eten gaan we even naar een café waar papa mailtjes kan sturen, weet je nog?'

Ze buigt haar hoofd en stampt op het gras. 'Ik wil hier blijven.'

'Nee, Luna! We gaan nú eten.'

Ik ga staan en steek mijn hand uit.

Ze slaat hem weg. 'Neeheeeheee!'

Er beginnen ouders en kinderen onze kant op te kijken. Ik werp hun de alles-onder-controleglimlach toe.

'Luna, we gaan. Kom op.'

Ze begint harder te stampen. En te huilen. Ik begin voor joker te staan.

'Luna, ik tel tot drie.'

Ze begint nog harder te huilen.

'Eén...'

Het huilen gaat over in gillen.

'Twee...'

Ze schudt met haar hoofd als een bezetene.

'Drie!'

Ik pak haar vast bij een arm. Ze probeert op het gras te gaan liggen. Godverdomme, het is dat er allemaal mensen staan te kijken, anders gaf ik haar ter plekke een vreselijke hengst.

Woedend trek ik haar mee. Ze gilt hysterisch, terwijl ik haar als een pop achter me aansleep, over het grasveld. Eindelijk zijn we bij de fietsen.

Ik pak haar gezicht tussen mijn vingers. 'Ga je nu verdomme normaal doen?!?' schreeuw ik in haar gezicht.

'Nee!!!' schreeuwt ze terug.

Hardhandig draai ik haar om en geef haar een pets op haar billen.

Ze schrikt even en kijkt me dan boos aan.

'Ik...hi...ik... wi-hi-hil... naaahaaar mama toe...hoe.'

Eventjes leggen de woorden mijn hele lijf lam, alsof de wereld om me heen bevriest.

'Je kunt niet naar mama toe!' hoor ik mezelf schreeuwen. De aanwezige ouders en kinderen bekijken ons met stijgende verbazing. Het interesseert me geen reet meer.

'Mama is hartstikke *fucking* dood!' Het moet tot in Sydney te horen zijn. 'Mama is dood... Ik ben jouw papa en meer kan ik er niet van maken.' Ik laat me naast Luna op de grond vallen en begin met haar mee te janken.

Ze komt voorzichtig op haar knietjes naast me zitten.

Een hele tijd liggen we zo op de grond. Luna staart me beteuterd aan, met haar ene hand haar tranen van haar wangen vegend, de andere over haar billetjes wrijvend.

Ik pak haar hoofd vast en streel haar door haar haren.

'Sorry dat ik je sloeg.' Ik geef haar een kus.

Ze haalt haar schouders op, kruipt naar me toe en legt haar hoofdje tegen mijn schouder.

Weer begin ik te snikken. Stilletjes, met mijn hand over haar wangen strelend.

Minutenlang liggen we zo.

'Zullen we bij McDonald's gaan eten?' vraag ik.

VIERENTWINTIG

McDonald's draait op ouders met schuldgevoel.

We bestellen veel te veel.

'Wil je nog frietjes?'

Luna schudt haar hoofd en lurkt met haar rietje een slok uit de halve liter sinas, haar blik over mijn schouder gericht, zo te zien op iets interessants. Ik draai me om en volg haar blik. Achter ons zit een jongetje te eten. Hij heeft een T-shirt met een cartoon van een bouwvakker.

'Dat jongetje heeft een T-shirt van Bob de Bouwer,' zegt Luna.

'Hij is gek op Bob de Bouwer,' hoor ik ineens een vrouwenstem achter me zeggen. Ik kijk om, recht in de ogen van een lachende, blonde vrouw. Zo, da's nog eens wat anders dan die potvis achter de kassa bij Great Barrier Reef Wonderland.

'Luna vindt Bob de Bouwer ook te gek, hè?' antwoord ik.

Luna schudt haar hoofd. 'Niet zo.'

De vrouw proest het uit. Wat een lippen...

Ik haal lachend mijn schouders op. 'Normaal doet ze altijd wat ik wil, hoor,' grinnik ik.

'Ik zag jullie gisteren bij de speeltuin,' zegt de vrouw met een Engels accent. Ben ik even blij dat ze me er vandaag niet gezien heeft. Ze heeft een T-shirt met v-hals aan.

'Ben je samen met je dochter op reis?'

'Ja,' zeg ik stoer. 'Eerst in Thailand en nu hier. We reizen richting het zuiden. En jij?'

Ze lacht haar tanden bloot en wijst op het jochie in het Bob de Bouwer-T-shirt. 'Wij wonen hier.'

Roos is ineens heel ver weg.

Ik steek mijn hand uit.

'Hallo. Stijn. Leuk om weer even Nederlands te kunnen praten over andere dingen dan speeltuinen en clownvissen.'

Ze lacht en stelt zich voor als Tanja. Ik zie geen trouwring bij Tanja.

Ze betrapt me.

'Ik ben gescheiden.'

'Ah,' zeg ik. 'Dat schept een band.'

'Jij ook?'

'Ja. Schuldloos gescheiden.'

Weer die lach. Ze kijkt naar Luna en haar zoon, die verlegen om elkaar heen dralen. 'Mijn zoon spreekt niet zo goed Nederlands. Hij verstaat het wel. We praten meestal Engels thuis. Mijn ex is Australisch.'

'Als je zin hebt, kunnen jullie wel even in de ballenbak gaan spelen,' zeg ik tegen Luna, waarbij ik haar een zacht duwtje in haar rug geef. 'Misschien vindt...'

'Ben.'

'Misschien vindt Ben dat ook wel leuk...'

Luna kijkt het jongetje aan en vraagt of hij daar zin in heeft. Tanja legt in het Engels aan haar zoon uit wat Luna zei en neemt plaats aan mijn tafeltje.

We praten over wat er hier in Townsville buiten het Great Barrier Reef Wonderland allemaal te doen is (geen reet), over wat zij voor werk doet (gaap) en in welke plaatsen in Queensland Luna en ik allemaal al zijn geweest (babbeldebabbelowatbenikeenleukevader). Binnen tien minuten heb ik haar telefoonnummer te pakken en zijn we uitgenodigd om vanavond bij hen thuis te komen eten. Ik antwoord dat we dat hartstikke leuk vinden, schrijf haar adres op en loop dan vrolijk kletsend met haar richting de kinderen, waar ik Luna het verheugende nieuws vertel dat zij en Ben elkaar vanavond weer treffen omdat we vanavond bij tante Tanja gaan eten.

Fluitend fiets ik op mijn Koala Bike Hire-huurfiets, met een goedgehelmde Luna achterop, richting het internetcafé.

Vanavond neuken.

VIJFENTWINTIG

Van: Roosverschueren@campaignresults.nl
Verzonden: 22 november 2001
Aan: Stijnvandiepen@hotmail.com

Lieve Stijn,

Enkele weken geleden waren we samen nog in Thailand, nu zit jij in
Australië en ik in Amsterdam.

Dit is jullie reis, dat voelde ik vanaf het moment dat ik zo naïef was om
mee te gaan naar Thailand. Ik hoorde daar niet. Sterker nog, ik hoorde al
niet meer bij je toen Carmen overleed. Jij wilde minder, ik wilde meer. In
tegenstelling tot al die andere meisjes kon ik jou niet delen (terwijl ik nu
niet eens weet met wie en hoe vaak je geneukt hebt – het zou me niks
verbazen als ik vanavond van Maud ga horen dat je ook met haar veel
vaker naar bed bent geweest dan je durft toe te geven).

Ondanks alle kritiek van de buitenwereld ben ik blij met wat we samen
gehad hebben. Misschien zou ik me vernederd moeten voelen omdat
ik mezelf in zoveel bochten heb proberen te wringen voor onze liefde,
maar ik heb er in ieder geval alles aan gedaan om het een kans te geven,
ondanks de muren die jij na Carmens dood steeds opwierp.
Dat voortdurende verzet van jou tegen mij, tegen de groei van iets dat een
echte liefde had kunnen worden, alsof het allemaal verschrikkelijk was,
was zo wreed dat het me kapotmaakte.[18]

Je vertelde me ooit dat je, toen er pas kanker was ontdekt bij Carmen, jaloers naar een giechelend bejaard stel bij Albert Heijn keek en toen besefte dat je dat nooit met Carmen ging meemaken. Daar is iets dubbels aan. Je verlangt naar zo'n langdurige, intense liefde, maar als het aan jou ligt is het hele leven tevens een aaneenschakeling van het nieuwe, van openingsfases.

Slippertjes, tijdelijke verhoudingen, one-night stands: ze zijn opwindend, spannend, geil en ego-strelend. Maar jij maakt er een levensstijl van, een levensstijl die jou dwingt om continu toneel te spelen.

Ik geloof niet dat een dubbelleven ooit tot intense liefde kan leiden. Je bent steeds bezig om te verbergen wie je werkelijk bent voor degene van wie je houdt. Misschien had ik het zelf ooit kunnen opbrengen om te leren omgaan met jouw vreemdgaan, net als Carmen had gehoopt. Trouw is voor mij geen doel in de liefde, trouw is een middel. Ik vind dat als je van iemand houdt, je er alles aan moet doen om diegene geluk- kig te maken. Als ik ervan overtuigd was dat monogamie jou ongelukkig maakt, dan had ik misschien wel ooit, als ik zeker van jouw liefde zou zijn geweest, samen willen zoeken naar een vorm waarmee we allebei gelukkig zouden zijn.

Ik moet accepteren dat ik de Stijn die zijn hart durft te geven niet naar boven heb kunnen brengen. En met een andere Stijn wil ik niet leven. De Stijn die zijn hart durft te geven bestaat, dat heeft iedereen gezien. Carmen was de laatste weken zielsgelukkig. Ik hoop dat het iemand anders, misschien wel – mijn hart scheurt bijna als ik er alleen al aan denk – iemand in Australië, lukt om die Stijn weer te ontmoeten.

Ik heb me voorgenomen je niet meer te bellen of sms'en. Voor mezelf, en voor jou. Straks, als je terug bent, wil ik vrienden blijven, op één abso- lute voorwaarde, een voorwaarde die jij mij beloofde toen we ons eerste afspraakje hadden. Onze vriendschap wordt platonisch.

Stijn, het gaat jullie goed daar in Australië. Ik hou van je.

X, Roos.

PS: Ik heb in Bangkok nog stiekem een cadeautje voor Luna in je rugzak gedaan, in het onderste vakje. Een nieuwe *Jip en Janneke*. Waarschijnlijk ben je de andere voorleesboekjes nu wel beu, na twee maanden.
PPS: Leuke foto van die Dolly in je rugzak. Ik wist niet dat schapen zichzelf konden scheren.

ZESENTWINTIG

'Heb je zoveel fanmail?' klinkt het achter me. Ik meen enige irritatie te bespeuren. 'Het eten staat namelijk op tafel.'

Mens, hou op. Laat me even terug op aarde komen.

'Eh... ja... Ik kom.' Ik kijk op mijn horloge en zie dat ik al drie kwartier zit te lezen. 'Beetje veel mailtjes gekregen,' roep ik richting keuken.

De andere binnengekomen mailtjes – Thomas, Carmens moeder en een keur aan pornoaanbiedingen – heb ik nog niet eens geopend.

'Heb jij een printer, eh... Tanja?'

'Onder de computer,' roept ze vanuit de keuken.

Het internetcafé was geen succes vanmiddag. Ik had koud mijn hotmail geopend of Luna had haar walkman afgedaan en stond naast me.

'Ik moet plassen.'

Naar de wc.

'Ik verveel me.'

Nieuw bandje in de walkman.

'Ik heb het koud.'

Mijn sarong om haar schouders.

'Ik ben zo moe-oe...'

Ik was te opgewonden voor mijn date om boos te worden, hoewel ik nog geen letter van de mail van Roos had gelezen. Waar had ik dat telefoonnummer ook alweer gelaten? O ja. In mijn broekzak.

'*Hello?*'

'Tanja?'

'*Yes?*'

'Stijn hier. Zou ik vanavond bij jou thuis even mogen internetten, voor we gaan eten?'

Topwijf, die Tanja. Internet + eten + drinken + speelkameraadje met bijbehorende Nederlandstalige video voor Luna + 99,99% kans op seks voor papa. En alles gratis.

Nu heb ik een bord vol pasta met *tigerprawns* voor me en drie uitgeprinte A4'tjes *Roos Schrijft Van Zich Af* naast me in mijn tas. Ik hoop dat de pasta lichter verteerbaar is.

Tanja blaat er lustig op los, over haar scheiding en over de school van Ben. Ik ben nog afweziger dan Liam Gallagher tijdens optredens van Oasis. Het enige wat ik doe is op de automatische piloot mijn derde glas chardonnay in een kwartier inschenken ('deze fles heb ik van mijn moeder gekregen toen ik van Jerry scheidde, voor een bijzonder moment...') en proberen op de juiste momenten te knikken, nee te schudden en 'joh!' te zeggen.

Het maakt Tanja niets uit. Ze is merkbaar blij dat ze haar gal over haar ex-man eens in het Nederlands kan spuien. Klagen in je moedertaal is toch het prettigst.

Ook Luna vermaakt zich prima. Ze zit samen met Ben op de grond naar een Nederlandstalige video van Bob de Bouwer te kijken. Haar hamburger met frites heeft ze nog amper aangeraakt.

Telkens flitsen er tekstflarden uit de mail van Roos door mijn hoofd. Voortdurende verzet van jou tegen mij... Aaneenschakeling van het nieuwe... Levensstijl die jou dwingt om continu toneel te spe-...

'Smaken de garnalen?'

'O... eh... ja. Zeker. Heerlijk.'

'Fijn. Kijk, en wat-ie toen toch weer verzon: hij wilde dat ik met Ben altijd Engels zou praten en elke keer als hij Ben weer zag dan vroeg hij dat arme kind of er hier in huis inderdaad alleen Engels werd gepraat en als-ie dan uitvond dat dat niet zo was, dan hield-ie de alimentatie in of hij dreigde dat hij Ben bij me weg zou halen, terwijl hij niet eens voor zichzelf kan zorgen...'

Tanja's verhaal interesseert me minder dan de uitslag van Telstar
– Top Oss. Waarom ga ik niet gewoon naar de camper als ik die laatste garnaal door mijn strot heb geduwd? Nu Luna erbij is kan ik dat best maken. Een dochter die naar bed moet is een perfect alibi om de avond vroegtijdig af te breken.

Ik kijk haar na als ze de borden de keuken in draagt. Wel een lekkere kont.

'Koffie?' roept ze.

'Graag.' Als ze neukt, zal ze vast niet zoveel praten.

Vanuit de keuken ratelt ze door. Nu ze me niet kan zien, hoef ik niet eens te doen of ik luister.

In plaats daarvan pak ik stiekem de vellen papier met de mail van Roos uit mijn tas.

Daar is iets dubbels aan. Je verlangt naar zo'n langdurige, intense liefde, maar als het aan jou ligt is het hele leven tevens een aaneenschakeling van het nieuwe, van openingsfases.

Ik hoor iets aan komen kakelen en stop vlug de A4'tjes terug. Ik pers er een flauwe glimlach uit.

'Zo. Koffie.'

'Ja. Lekker.'

'Heb je er wat in?'

'Nee. Zwart.'

'Da's goedkoop,' zegt ze lachend. Ik dacht dat dit soort dingen alleen nog maar door Anne en Thomas werden gezegd.

'Ik vind het wel gezellig dat jullie hier zijn, hoor. Jerry hield er nooit van lekker samen thuis te zitten en een beetje bij te kletsen.'

Ik kan me steeds meer in Jerry verplaatsen. Jerry was een wijs man om ertussenuit te piepen.

'Zullen we op de bank gaan zitten?'

O jee.

Ik neem plaats op veilige afstand van haar.

Met mijn koffie in mijn hand kijk ik de kamer rond.

'Leuk huis heb je.'

'Ik heb het helemaal heringericht. Toen Jerry...' – Mijn god, wat doe ik hier? Ben ik echt helemaal naar Australië gevlucht om mezelf eerst door drie uur gezanik – '...en toen dacht ik, alles eruit, alles wat me aan die klootzak doet...' – in een doorzonwoning in Townsville, het Maarssen van Queensland, heen te worstelen, alleen maar om mijn pik straks in een gescheiden kakelkut te mogen steken? – '...en ik heb de slaapkamer helemaal opnieuw geverfd en lekker allemaal met mijn eigen spulletjes...' Het is alsof ik Roos me op twintigduizend kilometer afstand hoor uitlachen.

'Zal ik je de slaapkamer even laten zien?'

Welja. Een open sollicitatie. Ze knipoogt er nog bij ook. Denkt ze dat ik haar nu een beurt ga geven terwijl mijn dochter beneden zit? Het is verdomme Amsterdam niet.

De gaap van Luna komt precies op tijd.

'Ik ben bang dat mijn dochter moe aan het worden is,' zeg ik verontschuldigend, met een hoofdknik naar mijn dochter. Doorgapen, schat, doorgapen.

'Ze kan ook hier in bed hoor, ik kan zo een extra matrasje bij Ben op de kamer leggen.'

Tanja's hand glijdt richting mijn been. Mijn hele softwaresysteem is erop geprogrammeerd nu een arm om haar heen te slaan. Niet doen. Niet doen. Ik kijk naar Luna. Help me, zonnetje. Vraag of we naar huis gaan. Begin te huilen. Doe iets.

Haar hand streelt mijn bovenbeen. Het voelt alsof er een leguaan over mijn been kruipt.

'N-...'

'Kom,' zegt Tanja. Ze geeft me een speels klopje op mijn dijbeen en trekt me dan mee richting de trap. 'Ik laat oom Stijn even het huis zien, Ben.'

Ik lig op mijn zij naar haar te kijken. Het ochtendlicht dringt tussen een kier van de gordijnen door en speelt met haar blonde haren. Ze rekt zich uit en gaapt. Ik glimlach.

Wat is ze mooi.

Langzaam wordt ze wakker. Ze knippert met haar ogen en lacht naar me.

Ik buig me voorover en geef haar een kus op haar voorhoofd.

'Goeiemorgen, zonnetje van me...'

'Dag papa...'

'Ben je blij dat we toch naar huis zijn gegaan?'

Ze knikt. 'Ik vond het een beetje eng om daar te slapen.'

'Papa ook,' grinnik ik, 'alleen durfde ík dat niet te zeggen tegen die mevrouw.'

'Niet?' vraagt ze verbaasd.

'Nee. Maar ik vond het veel fijner om met jou in de camper te slapen.'

Een uur later heb ik met mijn creditcard de rekening van twee nachten op de camping betaald, alles ingeladen en rijden we weg uit Townsville, voordat Tanja en Ben op het idee komen ons gezellig te komen opzoeken met een pot verse koffie en een ontbijt dat ze ongetwijfeld gisteren met voorbedachten rade heeft ingekocht.

Ik kijk opzij naar de bestuurdersstoel. Luna bladert door het Jip en Janneke-boek van Roos.

Ik leg mijn hand op haar handje en glimlach.

Papa en Luna in Australië.

Wat ben ik blij dat Luna me redde. Terwijl Tanja mij haar slaapkamer met haar eigen spulletjes liet zien en ik haar uit de macht der gewoonte wilde vastpakken om mijn tong dan toch maar tegen haar huig te duwen, hoorde ik Luna's paniekerige stemmetje beneden.

'Papa, waar ben je?'

Poef. Ik stond weer met twee voeten *down under*.

Tien minuten later bedankten we beleefd voor het eten, het internetten en de Bob de Bouwer-video en spraken we af dat we vandaag nog even zouden bellen hoe laat we vanavond bij onze camper konden barbecueën.

En nu rijden we richting Bowen, weer een paar honderd kilometer zuidelijker.

Nickelback knalt uit de speakers en Luna leert op mijn aanwijzingen headbangen.

'Never made it as wise man... This is how you remind me of what I really am...'

Houdoe en bedankt, olé, olé.[19]

ACHTENTWINTIG

Het is nu drie dagen geleden dat we Townsville en Tanja's grijpgrage handen hebben verlaten.

Tanja belde nog een keer of vijf, liet twee keer een boos bericht achter op mijn voicemail en hield zich daarna gedeisd. Waar gevlucht wordt, vallen spaanders. We zitten in The Harbour Lights Caravan Park met, hoe verrassend, een speeltuin en een zwembad. Luna is dik tevreden. Verder is er geen fuck te doen in Bowen en dat komt goed uit, want ik heb even genoeg aan mezelf. Op weg van Townsville naar hier was ik nog blij met wat Roos geschreven had. Ik heb haar zelfs nog een bedank-sms gestuurd. Ik heb er tot nu toe geen teruggekregen. Het ziet ernaar uit dat ze woord houdt en dat doet meer pijn dan ik had gedacht.

Als ik de schommel duw, als Luna in de zandbak zit te scheppen, of als ze slaapt, steeds spookt de mail van Roos door mijn hoofd. Telkens dringen haar zinnen zich aan me op:

Je verlangt naar zo'n langdurige, intense liefde, maar als het aan jou ligt is het hele leven tevens een aaneenschakeling van het nieuwe, van openingsfases.

Avond aan avond zit ik voor mijn camper na te denken. Het was een overtrokken item, vond ik altijd, dat hele vreemdgaan. Als ik na een slippertje thuiskwam, was ik de ideale echtgenoot. Dan wilde ik voor mezelf bewijzen dat die slippertjes mijn liefde voor Carmen niet in de weg stonden. Het was dan net of ik Carm weer moest veroveren, en

220

dat uitte ik in cadeautjes, het verzinnen van leuke dingen om samen te doen en in het hebben van veel seks, ook thuis, zodat ze maar niks doorhad. Mijn escapades hielden mijn relatie juist spannend, vond ik. Voor hetzelfde geld was ik, om de sleur van het leven te doorbreken, gek van parachutespringen, dat was pas een linke hobby geweest.

Ach, en escapades, de naam zegt het al: het is niet meer dan een onschuldige vorm van escapisme, de helft van de wereld gaat vreemd. Hoe dichter je bij de evenaar komt, hoe meer mannen er een gewoonte van maken af en toe buiten de deur te neuken. Voor de gemiddelde Fransman, Italiaan, Griek, Braziliaan, Surinamer en Antilliaan is vreemdgaan net als schijten: iedereen doet het en niemand praat erover. Oogjes dicht en snaveltjes toe. Ik denk dat Ramons visie klopt: de ene helft van de mannen die zegt nooit vreemd te gaan liegt en van de andere helft is het gros te lelijk om überhaupt vreemd te kúnnen gaan. Volgens Ramon is hooguit een op de tien mannen een leven lang monogaam uit principe, uit liefde.

Neem kerels als Thomas. Thuis de brave *family man* uithangen, maar zodra hij even los is van moeder de vrouw, met carnaval of op zakenreis, wordt er als het even kan, zoals hij het pleegt te noemen, 'een natte vinger gehaald'.

En vrouwen zijn ook zo hypocriet als Leo Beenhakker toen hij verkondigde dat Feyenoord zijn laatste club zou worden.

Ramon en ik konden ze zo aanwijzen als we ze vroeger op Rhodos of Mallorca tegenkwamen, de types die er wel voor in waren. Getrouwde vrouwen die alleen op vakantie waren, vrouwen die door hun eigen man niet meer als vrouw werden gezien. Met drie goed getimede complimenten sneed je als een mes door de geile boter. En hun mannen maar denken dat vrouwtjelief op vakantie ging om de nieuwe Heleen van Royen te lezen.

Zelf had ik al die jaren ook in de naïeve veronderstelling verkeerd dat mijn eigen Carmen zo betrouwbaar was als de Bank van Zwitserland. Zelfs haar beste vriendinnen wisten niet dat zij een paar keer was vreemdgegaan. Vrouwen hebben het vermogen om discreet vreemd te gaan.

Ik niet.

Dat heeft Carmen nog het meeste pijn gedaan, vertelde ze me in haar laatste weken: dat zij al die jaren níét wist wat half Amsterdam wél wist. Roos zegt eigenlijk hetzelfde.

Ik geloof niet dat zo'n dubbelleven ooit tot intense liefde kan leiden. Je bent steeds bezig om te verbergen wie je werkelijk bent voor degene van wie je houdt.

Ik wilde Carmen nooit pijn doen, ik wil helemaal niemand pijn doen, ook niet De Vrouw Die Mijn Leven Gaat Veranderen, als ik haar ooit ontmoet. Wat me bij die Tanja in Townsville, met dank aan Luna, toevallig één keertje lukte, gaat me straks, als ik weer terug ben in de Amsterdamse snoeptrommel, heus niet zo makkelijk af. Ik hou van de spanning van een ander lichaam, van borsten die ik nog nooit heb aangeraakt, van het idee van een nieuwe, opwindende kut. Ik wíl helemaal niet mijn hele leven seks hebben met één vrouw.

Het idee dat ik trouw móét zijn voelt als een handrem op mijn leven.

Dat kan niet de bedoeling zijn van de liefde.

NEGENENTWINTIG

Toen ik in Amsterdam de Lonely Planet van Queensland kocht, had ik nog het idee dat ik hier kwam om wat van Australië te zien. In mijn reisgids staan dikke uitroeptekens bij de Whitsundays, een paradijselijke eilandengroep. We zitten op The Island Gateway Holiday Resort in Airlie Beach, het dorp dat als uitvalsbasis dient voor de eilanden. Maar de naam van de camping komt nogal cynisch over, want ook hier komen Luna en ik niet veel verder dan de *booking agencies*. De kortste zeiltrip rond de Whitsundays duurt drie dagen. Dat kan ik mijn dochter niet aandoen. Ze zou zichzelf binnen een halve dag al binnenstebuiten hebben gekotst.

Tot mijn verbazing merk ik dat het me steeds minder moeite kost om me erbij neer te leggen. We gaan wel een paar keer het dorp in deze week. Ook leuk.

In Airlie Beach heerst er voor het eerst in Australië iets wat op gezelligheid lijkt. Er is een kunstmatige *lagoon* aangelegd, waaromheen wordt geflirt en gezond, en in de hoofdstraat stikt het van de restaurants en cafés. Ze maken er hier, in tegenstelling tot de rest van Queensland, geen probleem van als ik Luna meeneem.

Mijn fooien zijn dan ook van onbetwiste generositeit[20] en dat kan van de overige toeristen niet gezegd worden. Want Airlie is het Khao San Road van Queensland. Overal waar je kijkt lopen backpackers, de meeste net een paar jaar ouder dan Luna. En twintig jaar jonger dan ik.

Ik word finaal genegeerd. Vader met kind staat hier niet voor stoer & sexy, maar voor oud & overlast.

Het bevalt me eigenlijk wel, al die twintigers om ons heen die in een andere wereld lijken te leven. Ik voel geen enkele aandrang om met ze te praten.

De rust doet me goed. Sinds Townsville heb ik al niet meer gehuild om Carmen. Hoewel ik sinds Cairns niks meer van haar heb gehoord, voelt het toch alsof ze er nog is. Steeds vaker denk ik aan de kankerloze Carmen en aan de mooie dingen die we samen deden voor ze ziek werd.

Ook Luna heeft het naar haar zin. Door mijn gemoedstoestand straal ik blijkbaar een kalmte uit die haar goedgeluimd houdt.

Of ik verlang minder van haar, dat kan ook.

's Morgens zit ik een uur of twee met engelengeduld in het zwembad en sinds ik doorheb dat ik iets verkeerd deed in mijn schoolslaglessen – haar beenslag zag er al zo gek uit – gaat het met de dag beter. De tactiek van stoppen met de les zodra ze geen zin meer heeft, werpt zijn vruchten af. Dat ik daar niet eerder aan heb gedacht. Na vier dagen zwemt ze uit zichzelf het zwembad door, met een zwembandje rond haar middel. Als beloning, en uit gezond eigenbelang, heb ik alvast stiekem twee zwemvleugeltjes voor haar gekocht in de campingwinkel op The Gateway Resort. Misschien kunnen we op Fraser Island, over een week of wat, dan samen in een meertje zwemmen. Dan krijgt ze ze.

Door de vrijwillige beperking van onze actieradius lopen we de hele dag op blote voeten. Ik heb mijn gympen in geen dagen aangehad. Heel soms, als ik naar de wc moet, doe ik slippers aan, maar dat hoeft eigenlijk ook niet, bij mij thuis loop je meer kans op een schimmelinfectie dan op de campings hier, want Australië is eng schoon. Niemand durft eens lekker naast de pot te schijten, hetgeen in Europa tot de folklore behoort. Niemand jat handdoeken van de waslijn, niemand waagt het om de vele BBQ's, waar elk campingpark mee bezaaid is, vies achter te laten. Australiërs hebben respect voor elkaar, voor elkaars spullen en voor de natuur. Alleen op immigranten hebben ze het niet zo, maar Luna en ik hebben mazzel, want wij zijn blond.

The Australian Way of Life bevalt steeds beter. De overdreven

vriendelijkheid, het ultrabrave, het *no worries, mate* maakt ook
minder cynisch.

Elke dag maken we een wandeling door de bossen waar de camping aan grenst, en gaan we op zoek naar dieren die nog ontbreken
op onze lijst Geziene Dieren. Luna heeft ondertussen een hele map
vol foto's van insecten, vogels en andere dieren waar je in Nederland
voor naar de bibliotheek moet. Koala's en (levende) kangoeroes hebben we nog altijd niet gespot, maar dé score van vandaag was een
heuse kookaburra. Hij was weg voor ik hem op de foto kon zetten,
maar ik heb hem nagetekend en Luna vond dat hij leek.

Ook als ze dood zijn, zijn de dieren onze beste vrienden. Luna en
ik hebben de *barbie* ontdekt. Na een paar dagen konden de restaurants in de hoofdstraat me gestolen worden. Ik koop nu iedere dag
een paar hompen vlees in de campingwinkel en gooi die dan 's avonds
op een van de vele bbq-kookplaten die verspreid over het camperpark
staan. Luna vindt het prachtig. Ze kan tot vlak voor het eten in het
gras spelen en hoeft niet netjes te wachten tot het een ober belieft om
haar een visstick of worstje te komen brengen. Ze is zichtbaar onder
de indruk van mijn grilltechniek. In haar ogen ben ik Jamie Oliver.
Met open mond kijkt ze toe hoe ik met de ene hand voor mezelf een
lammetje zwartblaker, terwijl ik met de andere hand voor haar een
paar worstjes aanbrand. Als ze dan even niet kijkt, schraap ik snel de
meest storende zwarte plekken weg, gooi er een kwak cocktailsaus
overheen en klaar is Klara. Smullewitz bij de camper.

Die camper, ons privékonijnenhok op wielen, begin ik steeds meer
te waarderen. Juist omdat-ie zo klein is, zitten we nooit binnen. Het
kamperen, waar ik altijd een teringhekel aan had, helpt nu om een
beetje ritme te houden. Ik begin de charme in te zien van de dagelijkse werkzaamheden, die we zoveel mogelijk samen uitvoeren. Luna
is zichtbaar trots als ze zich nuttig kan maken.

'Wat hebben we het toch druk, hè pap,' zei ze vanochtend, toen we
de watertank aan het vullen waren en daarna de afwas deden.

Nu doet ze een dutje. Ik doe de was. Dat is nodig, want ik heb geen

erbroeken meer en Popje is ook niet helemaal okselfris,
ravond, toen Luna het ding in haar slaap op drie centi-
ijn gezicht had geparkeerd.

emak sta ik in de *laundry*-ruimte onderbroekjes en
t-shirtjes van Luna op te vouwen. Ik kan me niet heugen dat ik dat
thuis ooit heb gedaan, maar het voelt heel Zen.

Daarna is Luna's popje aan de beurt. Voorovergebogen schrob
ik het ding schoon in een bak met zeepsop. Als het mijn popje was
geweest, had ik het allang weggegooid en een nieuwe gekocht. Nu
denk ik aan het vooruitzicht dat Luna het vanavond blij tegen haar
gezicht drukt en met haar duim in haar mond tevreden in slaap valt.

Misschien is liefde niet zo ingewikkeld als ik denk.

DERTIG

'*You know your love... is liftin' me... liftin' me... higher and higher...*'

Met mijn rechterhand doe ik een zingende mond na, mijn play-backende vingers afwisselend op Luna en mezelf gericht. Mijn dochter schatert het uit op de passagiersstoel. Ik zet Jackie Wilson nog wat harder en zing overdreven mee.

'*That's why your love... keep on liftin' me... higher and* – FUCK!'

Een zwaailicht.

De rode letters in mijn achteruitkijkspiegel laten er weinig misverstand over bestaan dat het waarschuwingsteken voor mij bedoeld is.

STOP... STOP... STOP flitst het in steeds grotere letters. Snel doe ik mijn gordel om en zet de muziek zacht.

'Wat doe je, pap?'

'We moeten even stoppen, schat.'

Ik rem langzaam af en zet de camper langs de kant.

We staan op een weg omringd door graanvelden. Ik heb in geen kilometers een medeweggebruiker gezien. Waar die politieauto ineens vandaan komt, is me een raadsel.

In mijn spiegel zie ik twee agenten uitstappen. De ene kijkt naar mijn nummerplaten en spreekt iets in een mobilofoon die aan zijn overhemd vastgeklikt zit. De andere komt langzaam naar onze camper toelopen.

Ik draai mijn raampje open.

'*G'day, officer.*'

'*Why weren't you wearing your seat belt, sir?*'

'*Wasn't I?*'

l you were driving one hundred and thirty-eight kilo-
...'

a one hundred kilometre per hour speed limit.'

singing and...' Aan het gezicht van de agent zie ik
...ze verklaring niet toereikend is. Het argument dat ik er flink
het tempo had ingezet, omdat we vandaag zeshonderd kilometer
moeten rijden om Hervey Bay te bereiken, zal vermoedelijk ook weinig indruk maken.

'Can you step out of the vehicle, sir?'

'Wat doe je, pap?'

'Pap moet even uitstappen, schat.'

Luna kijkt angstig naar de agent. Ik trek een geruststellend gezicht
en stap uit.

De agent gebaart dat ik tegen de auto moet gaan staan. Hij fouil-
leert me grondig. Het lijkt Paradiso wel.

Hij vraagt me naar mijn rijbewijs en bladert erdoorheen. *Cairns
Airport Revisited.*

*'Are you aware that exceeding the speed limit by more than twenty
kilometres is considered a crime under Queensland law, sir?'*

Queensland law. Het zal eens niet zo zijn.

De agent zegt dat ik hier even moet wachten. Hij loopt terug
naar de camper en pakt een bonnenboekje. Op een of andere manier
bekruipt me het gevoel dat we zo meteen meer dan een zak lolly's
moeten afgeven.

'How much did you say?'

*'Two hundred and twenty five dollars for not wearing your seat
belt and three hundred and fifty dollars for exceeding the speed limit
by more than thirty kilometres per hour, sir.'*

Alsof je een emmer leegschudt.

'Cash.'

'Excuse me?'

'You have to pay your fine here and now, sir.'

Laten we dat nou net niet bij ons hebben. Ik schiet in de lach.

Vijfhonderdvijfenzeventig dollar.

De agent lacht niet mee. Snel trek ik een serieus gezicht.

'But that's ridiculous! I haven't got that much money with me.'

'If you cannot pay the fine, I'm afraid you will have to leave your vehicle here, sir.'

'Wat doe je, pap?' vraagt Luna opnieuw, ditmaal met een piepstemmetje.

Ik kijk om me heen. Graanvelden, zover ik kan kijken.

En een brandende zon.

Ik heb een probleem.

.

EENENDERTIG

Met onze rugzakken en een kwitantie waarop staat dat we de auto tegen betaling van 575 Australische dollars over een paar dagen weer mogen ophalen in Hervey Bay staan we langs de kant van de weg. Luna's onderlip begint te trillen, als de agent plaatsneemt op de bestuurdersstoel van onze dinky toy. Ik voel me vernederd. Het is alsof ik moet toekijken terwijl iemand mijn vrouw neukt.

Langzaam zien we ons dierbare campertje uit het zicht verdwijnen. De politieauto rijdt er trots achteraan, alsof hij hem zojuist krijgsgevangen heeft gemaakt.

'KUTKANKERTYFUS-QUEENSLAND!' schreeuw ik. Ik trap tegen mijn rugzak aan.

'Wat een stoute polisie, hè, pap,' vult Luna aan. Ze geeft ook een schopje tegen de rugzak.

Ik kan er zowaar om lachen.

Wat maakt het ook allemaal uit. Ik til Luna op en draai haar in het rond. 'Zullen we eens kijken of ze hierbinnen ijsjes hebben?'

Ze knikt heftig.

Huppelend lopen we het Shell-station binnen.

Even later zitten we tegen onze rugzakken in de zon, te likken aan twee waterijsjes.

Bijna waren we in de *middle of nowhere* achtergelaten, maar dat vond de agent met de mobilofoon wel heel cru, gezien de samenstelling van de bemanning. Nu mochten we de camper zelf naar het eerste het beste benzinestation rijden, om vanaf daar een taxi te bellen.

Ik besluit te wachten tot we met iemand die hier komt tanken mee kunnen rijden. Met Luna aan mijn zijde zie ik er best betrouwbaar uit.

TWEEËNDERTIG

Bij de tweede auto hebben we beet.

Een vrachtwagen met een blinkend rode motorkap en grote verchroomde pijpen. De chauffeur, een man met een buik die overduidelijk met behulp van blikjes Fosters-bier is opgebouwd, hoort mijn verhaal hoofdschuddend aan. De politie van Queensland flikt dit wel vaker bij toeristen.

'*No worries, mate.*'

De chauffeur moet met zijn lading naar Brisbane, een paar honderd kilometer zuidelijker dan Hervey Bay en kan onderweg wel wat gezelschap gebruiken.

Ik ren naar onze rugzakken, gooi ze in de cabine en til vervolgens mijn dochter omhoog. Luna kijkt benauwd. Vergeleken met ons eigen woonwagentje is deze truck een vliegtuig. We zitten bijna twee meter boven het wegdek.

De chauffeur draagt geen gordel, zie ik. Er zit ook nauwelijks ruimte tussen zijn buik en het stuur. Gelukkig zitten er weinig bochten in Highway nr. 1.

Luna kijkt haar ogen uit in de cabine. Op het dashboard, aan het plafond en achter onze stoelen prijken grote hoeveelheden bloemen. Het lijkt De Keukenhof wel.

De truckchauffeur ziet Luna kijken. '*One for each time I return home safely.*' Hij krijgt de bloemen van zijn dochter, zegt hij, waarbij hij naar een fotolijstje op het dashboard wijst. Zijn ogen twinkelen.

De man praat honderduit over zijn dochter, pakt met zijn enorme handen een tekening die ze voor hem gemaakt heeft uit het dashboardkastje. Hij vraagt mij of Luna ook zo goed kan tekenen.

Twee uur later staan we voor de ingang van het campervanpark van Hervey Bay. Zonder camper, maar met een plastic bloem en een dikke glimlach.

DRIEËNDERTIG

Het campervan park heeft nog voldoende *holiday cabins* vrij, een soort campers zonder wielen. Laagseizoen heeft ook zo zijn voordelen.

Luna slaapt en ik zit rustig met een biertje voor onze holiday cabin. Morgen vertrekken we met de boot naar Fraser Island. Het is zo gek nog niet dat we de camper kwijt zijn. We waren toch al van plan naar Fraser Island te gaan, en daar mogen geen auto's mee naar toe. De 575 dollar is in feite niet meer dan een wat prijzig stallingstarief.

Ook deze camping is zo goed als verlaten. Enkele plekken verderop staat een camper waaruit ik vanochtend twee jongen meiden zag stappen. De ene was best een lekker ding. Ik heb haar een keer vriendelijk toegeknikt toen ik naar de wc's liep en daar heb ik het bij gelaten.

Ik moet grinniken om mezelf. In Amsterdam had ik nu waarschijnlijk met Dolly xxxcviii in de Pilsvogel of Vak Zuid gezeten, overwegend of ik haar voor de vorm nog even mee naar More of Paradiso zou nemen of dat ik haar gewoon meteen mee naar huis het bed in zou slepen.

Ik heb nooit geweten dat het zoveel rust kon geven om niet iedere vrouw als een wandelende kut te zien.

VIERENDERTIG

Australiërs zijn net kinderen.

Een lekker ontbijt heet hier een *yummy brekky*. Een barbecue is een *barbie*. Een flesje bier een *stubby*. En als je van dit alles te veel hebt genuttigd bel je de volgende dag gewoon naar je werk dat je een *sickie* neemt. Alsof niet de Engelsen, maar de Teletubbies dit land hebben gesticht.

Ze praten hier niet alleen als kinderen, het zíjn ook net grote kinderen. Op Fraser Island hebben ze bijvoorbeeld de hele oostelijke kuststrook van het eiland, honderd kilometer lang, vrijgehouden om er met 4wd's overheen te kunnen raggen.

Ik zie het wel zitten. Luna tot mijn verbazing ook, als ik uitleg dat we hier met auto's over het strand mogen rijden. Na onze fietstocht over het strand van Port Douglas, lijkt ook dit haar fantastisch om samen te doen.

De verhuurder van de 4wd's denkt er anders over zodra hij Luna ziet. Ik zie dezelfde blik in zijn ogen als toen bij die haaientand van die duikschool in Port Douglas. Ik zeg nog dat ik het ding heus niet door mijn dochter zal laten besturen, maar hij is onvermurwbaar. '*Too dangerous with kiddies, mate.*'

Ik haal mijn schouders op en zo beleven we de dag erna een revival van de Captain Nemo Experience: samen met Luna en een hele zwerm bejaarde toeristen en budgetbackpackers gaan we het strand over in een bus. Een soort Connexxion op terreinbanden. Met camouflagekleuren, om het wat spannender te laten lijken. Af en toe worden we gepasseerd door claxonnerende 4wd-jeeps en Landrovers met joelende dertigers erin.

We worden door de bus afgezet bij een houten bordje waarop LAKE WABBY 4,3 KM staat. De helft van de bejaarden gelooft het wel en ploft neer op het strand. Een viefe Nieuw-Zeelander en zijn vrouw durven de wandeling wel aan, zeggen ze. Ze hebben een meisje van een jaar of vijftien bij zich. Het is hun jongste dochter, vertelt hij. Nakomertje. Hun oudste dochter studeerde al toen de jongste geboren werd.

Ik zwijg. Als ik ooit De Vrouw Die Mijn Leven Gaat Veranderen ga tegenkomen, zal Luna hooguit een halfzusje of halfbroertje krijgen. Mocht het ooit zover komen, dan laat ik Luna lekker broer en zus zeggen, neem ik me voor.

Hun jongste dochter is goed gelukt, zeg ik. De Nieuw-Zeelanders glimmen van trots. Twee Duitse backpackjochies die te jong zijn om te weten dat Nederland toch écht beter was in 1974, zijn het overduidelijk met me eens. Stoer slenteren ze naast het meisje het duinpad op, een meter of vijftig voor ons uit. De paringsdans der pubers.

Na een paar honderd meter is Luna het lopen al beu. Ik doe haar een hoedje op tegen de zon, zet haar in mijn nek en loop met de vader en zijn vrouw mee. Het is meer dan dertig graden en het zand is mul. Ik zweet me de tyfus.

'Carrying your little daughter through the desert, that must feel good,' zegt de vrouw.

'Couldn't feel better,' hijg ik terug.

Ze lachen. Waar ik vandaan kom en of ik hier alleen met mijn dochter ben. Ik vertel dat mijn vrouw overleden is. De vrouw schrikt en zegt dat het haar spijt.

Ik zeg lachend dat ik er inmiddels mee om kan gaan. Tot mijn verbazing meen ik het nog ook. Ik ben de afgelopen twee maanden emotioneel stabieler geworden, merk ik.

We praten nu al een halfuur, langer dan ik sinds Tanja met iemand heb gesproken. Af en toe vraag ik of Luna nog goed zit in mijn nek en of ze nog wat wil drinken. Ik voel me wel stoer zo, moet ik toegeven. Ik vraag of de man een foto van mij met Luna wil maken. Vader met kind in woestijn. De man zegt dat het een prachtig plaatje wordt.

Nog anderhalve kilometer, schat ik. Voor ons slaat een van de twee Duitse jongens zijn arm om het Nieuw-Zeelandse meisje heen. Hij heeft niet door dat hij door ons wordt bespied. Het meisje wordt door hem gekieteld op plekken waar ik mijn hand al in geen weken meer heb gehad. Ze giechelt een aanstellerig lachje en rent een stuk vooruit. Algauw zijn ze alledrie over een duintop heen. De vader zet de pas er iets steviger in. Hij mompelt dat je het tegenwoordig maar nooit weet met die jongens. Zijn vrouw antwoordt ad rem dat hij er zelf anders ook wel pap van lust. De man kijkt haar verbaasd aan en schiet in de lach. Hij begint haar op dezelfde manier te kietelen als waarop hij dat net de backpacker zag doen. Ze giechelt en probeert hem terug te kietelen, maar hij grijpt haar arm en zoent haar. Ik laat me ietsje afzakken tot ik een meter of tien achter hen loop.

Het beeld van de gierende hormonen van de backpacker en het meisje doet me niks, maar de liefde tussen deze man en vrouw raakt me.

Ik krijg hetzelfde gevoel als ik had bij het bejaarde paar in Albert Heijn. Gebiologeerd kijk ik naar de in elkaar gevouwen handen, een paar meter voor me op de duintop. Ik probeer me voor te stellen hoe ze elkaar hebben leren kennen, hoe hun leven samen was toen ze dertig waren. Ze waren vast net zo gelukkig als Carmen en ik in het begin. Alleen werden zij wél samen veertig en vijftig en straks worden ze samen, zoals het hoort, zestig, zeventig en misschien wel tachtig.

Mijn gedachten worden onderbroken door gejuich. Aan de andere kant van de duintop moet Lake Wabby zijn. Het werd tijd. Ik zak bijna door mijn hoeven. Luna vraagt of het water dat we zien het meertje is. Ik antwoord dat als dit geen meer is, ik het niet meer weet. Recht voor ons, aan drie kanten omringd door hoge zandduinen en aan één kant door bossen, ligt een prachtig, groenblauw meer. De Duitse jongens en het meisje liggen al uitgelaten joelend in het water.

Ik haal Luna van mijn schouders.

'We gaan zwemmen, schat!'

Ze kijkt naar het water. 'Kan ik daar met mijn voeten bij de grond?' vraagt ze met een benauwd stemmetje.

Ik haal de nieuwe zwemvleugeltjes uit mijn tas. Er staan dolfijnen op. Dat moet vertrouwen wekken. De eerste dolfijn die verdrinkt moet nog geboren worden. Luna is niet overtuigd. Ze kijkt weer naar het meertje. Dit is andere koek dan de zwembaden op de campings waar we tot dusver in hebben gepoedeld.

Ik buig door mijn knieën en kijk haar recht in haar ogen.

'Papa houdt je vast,' zeg ik.

Ze kijkt afwisselend naar de zwemvleugeltjes, het meer en dan weer naar mij.

'Echt?'

'Ik beloof het.'

Een minuut later liggen we samen in het water. Twee meter uit de kant is het al te diep om te staan.

'Vasthouden, hè,' bibbert Luna angstig.

'Ik hou je vast.'

Met een hand onder haar buik zwemmen we van de kant weg. Ik voel dat Luna genoeg heeft aan de bandjes, maar laat haar geen seconde los. Langzaam zwemmen we naar het midden van het meertje.

'Kijk eens om,' zeg ik als we verder van de kant af zijn dan alle anderen.

Ze draait zich om en ziet verbaasd waar we zijn. Haar ogen beginnen te glinsteren.

'Ik kan zwemmen, ik kan zwemmen, pap!' kraait ze. Ze slaat met haar armen op het water.

Ineens flitst de laatste zin die Nora tegen me zei, bijna drie maanden geleden, door mijn hoofd.

Je dochter geeft je veel meer dan je denkt.

238

VIJFENDERTIG

In de dagen na Lake Wabby trekken we veel op met het Nieuw-Zeelandse stel. We komen elkaar tegen op het strand van de kunstmatige lagoon en we eten een paar keer samen, in het buffetrestaurant van het resort. Hun dochter is inmiddels ingepalmd door de Duitse jongens en eet iedere avond aan hun tafel.

Ik vertel het stel over Carmen, over de redenen waarom ik hier zit en over mijn affaire met Roos.

Op een avond waarop zijn vrouw net als Luna vroeg naar bed gaat, nodig ik de man uit om op het terras voor mijn appartement nog een biertje te komen drinken.

Als ik mijn tweede flesje opentrek, vertel ik hem dat ik eerder deze week zo jaloers op hem en zijn echtgenote was. Ik vraag of ze altijd zo gelukkig waren, samen.

'Well, I was,' zegt hij met een grijns, 'but she wasn't.'

Hij vertelt dat hij op de campus waar ze elkaar als student leerden kennen, bekendstond als womanizer. Toen hij en zijn vrouw een paar jaar later trouwden, maakten ze afspraken met elkaar.

'I said to my wife: darling, if you want monogamy, marry a swan[21],' zegt hij lachend. 'And then she came with the Sex Commandments.'

Geen seks met voorbedachten rade. Geen vaste maîtresses. Geen liefde. Geen verhoudingen. Ik knik begrijpend.

En last but not least, zegt hij: alles eerlijk vertellen tegen elkaar. Altijd. 'Every single fuck.'

Ik ben stomverbaasd. Waarom, vraag ik hem. Waarom de ander pijn doen als het puur om de seks gaat?

Hij schudt zijn hoofd. *'This was the only way for us. She knew I would never be true. This was the only way she never would have had to doubt if I had sex with another woman when I went away for a weekend with friends, or if I came back from a business trip.'*

Ik frunnik wat aan het etiket van mijn flesje Fosters. *'And,'* vraag ik na een tijdje, *'did it work?'*

Hij kijkt me aan en barst in lachen uit. *'No. Not at all.'*

Hij legt uit dat het in het begin allemaal nog wel ging. Zijn vrouw begreep dat mannen seks en liefde kunnen scheiden. Toen ze nog geen kinderen hadden, had zij ook nog wel sporadisch wat gedaan met anderen. Maar na de geboorte van hun eerste twee kinderen werd het moeilijker en kreeg zij steeds minder behoefte aan de vrije liefde. Hij ging onverminderd door.

'And then it went wrong,' zegt hij, bijna schuldbewust. Hij merkte dat haar emotionele grens met de jaren steeds sneller bereikt werd.

Hij begon dingen te verzwijgen, om haar geen pijn te doen. Zij begon hem te wantrouwen, omdat ze voelde dat er iets niet klopte. Ze begon zijn zakken te controleren, zijn overhemdboorden, ze belde naar de zaak of hij er wel was als hij eerder die dag had gebeld dat hij moest overwerken.

Het kon niet uitblijven: ze betrapte hem. Het was haar opgevallen dat als hij belde dat hij nú bij zijn laatste klant wegreed, hij iedere keer precies drie kwartier later thuis was. Ze had een kaart van hun woonplaats genomen en alle motels op drie kwartier afstand van hun huis gebeld. Op een dag had ze, bij het zoveelste motel, beet. Er had inderdaad een meneer *so and so* ingecheckt. Ze pakte haar twee kinderen van de vloer, zette ze in de auto en reed als een debiel naar het betreffende motel. Toen hij net wilde uitchecken, samen met een blondine om een puntje aan te zuigen, zette zij hun beide kinderen op de balie van de lobby en zei dat ze hem veel succes wenste met zijn nieuwe gezin.

Hij vertelt het met een mengeling van bewondering en schaamte in zijn ogen.

Ik lig over de tafel van het lachen. Wat een verhaal. Wat een geweldig wijf!

Na een afkoelingsperiode van een jaar, vertelt hij verder, gingen ze samen in relatietherapie, twee keer per week, voor meer dan een jaar. *'It was hell on earth, mate.'*

Langzaam kwamen ze weer tot elkaar.

Hij pakt nog een flesje Fosters van de tafel. Ik zie aan zijn gezicht dat hij emotioneel wordt. Ik geef hem zwijgend de opener aan.

Waarom zijn ze niet gescheiden, vraag ik hem na een lange stilte. Waarom wilde zij bij hem blijven en hij, in de twee crisisjaren daarna, bij haar?

Ik zie zijn ogen vochtig worden.

'We love each other, mate.'

Sorry dat ik je toch sms. Lig in bed, beetje aangeschoten en emotioneel. Net ontroerend, indrukwekkend gesprek gehad met een Nieuw-Zeelander. Moest aan je denken. Alvast een fijne kerst. Waar ga je het vieren? X.

De dag erna vertrekken de Nieuw-Zeelanders. Ze willen volgende week thuis zijn om kerst te vieren.

Fraser Island voelt ineens anders. Nu mijn eerste vrienden sinds maanden weg zijn, heb ik het wel gezien hier. We kunnen de camper ophalen bij het politiebureau vlak bij Hervey Bay en ik denk dat we dat maar gaan doen. Ik mis het ding. Bij de receptie van het complex betaal ik de rekening voor de afgelopen nachten en samen met Luna neem ik de eerste boot terug naar Hervey Bay.

De camper voelt als thuiskomen. Bijna zeshonderd dollar lichter verlaat ik het politiebureau. Als straf druk ik secondelang op mijn claxon en scheur daarna in volle vaart de parkeerplaats af.

Ons keurig aan de maximumsnelheid houdend, rijden we via Gympie (altijd leuk op foto's) naar Noosa, een stadje dat bekend staat om zijn sterrenrestaurants. Het is nog geen honderd kilometer zuidelijker, voor Australische begrippen niet eens de moeite om de auto voor te starten. Onderweg zien we de rookpluimen, waar de kranten hier vol mee staan. Maar ze kunnen zeggen wat ze willen van die *bush fires*, lekker ruiken doen ze wel. Hartstikke gezellig, zo vlak voor kerst.

Het Munna Point Caravanpark is ook al in kerstsfeer. Over de lantaarnpalen hangen kerstmutsen en op de ramen van het receptiegebouwtje hebben ze nepsneeuw gespoten. Het is 34 graden.

Het camperpark ligt aan een strandje langs de Noosa, een riviertje dat uitmondt in zee. In de verte zijn mensen aan het surfen. Hier, bij het campingstrandje aan de rivier, zitten de families met kinderen. En pelikanen, die komen kijken of er wat te snaaien valt. Luna krijgt er geen genoeg van, ik schiet een rolletje vol van mijn dochter die de grote vogels brood geeft.

Het wordt al donker voor wijzelf aan eten denken. Ik besluit om, nu we toch in Noosa zijn, me een gat in mijn creditcard te eten. We gaan naar Le Monde, hetgeen hier *the place to be* moet zijn.

Ik bestel *une soupe de poissons, un plat du jour* en *un poulet et des frites* en laat de ober een fles van de beste chardonnay uit de streek en een kleurplaat met stiften voor Luna aanrukken. Hoewel er Europese kranten op de leestafel liggen, lees ik voor de zoveelste keer de mail van Roos. Na het verhaal van mijn Nieuw-Zeelandse vriend leest de mail helemaal als een *inescapable logic*.

Ik was, schrijft Roos, altijd meer bezig om mijn dubbelleven te verbergen dan om de liefde tot volle bloei te laten komen.

Terwijl ik mijn soep naar binnen lepel, denk ik erover na. Er zit iets in. Mijn dubbelleven vormde een tijdbom onder mijn relaties, ook onder mijn relatie met Carmen. Diep vanbinnen wist ik dat het nooit goed kon blijven gaan.

De hoofdgerechten arriveren. Ik vraag Luna haar kleurplaat opzij te schuiven om plaats te maken voor het bord met frites en kip.

Ik pel een scampi, steek hem in mijn mond en wijs naar het bord *poulet et des frites* van Luna. Luna kijkt ernaar en zegt dat ze geen honger heeft.

Waarom vermommen ze die beesten dan ook niet, net als McDonald's, met een laagje paneermeel?

Het kindermenu in Le Monde kostte meer dan een dag camperhuur.

Maar Luna begint te pruilen en zegt dat ze terug wil naar de camper.

'Papa heeft op de kaart gezien dat ze hier heeeeel lekkere kinderijsjes hebben!' probeer ik. En crème brûlée en goede espresso.

Ik vraag de ober haast te maken met de toetjes.

Nog geen vijf minuten later moet ik opgeven. 'Ik ben zo moehoehoehoehoe...' zeurt Luna.

In het zicht van mijn crème brûlée vraag ik om de rekening.

Buiten hou ik een taxi aan en trek Luna op de achterbank naar me toe. Ze kruipt tegen me aan. Nog voor we bij het camperpark zijn, valt ze in slaap.

ACHTENDERTIG

Toen Luna een baby was, sliep ik 's nachts als in een ijshockeywedstrijd: in drie heel korte periodes. Overdag trotseerde ik poepluiers die volgens de Conventie van Genève onder het verbod op chemische oorlogsvoering vallen. Nu is Luna drieënhalf en versjteert ze, vanaf de dag dat we hier voet aan wal hebben gezet, alles wat Australië leuk maakt. Duiken bij The Reef, toad races in Port Douglas, 4wd-crossen op Fraser Island, crème brûlée in Noosa: met Luna erbij is het allemaal kansloos. Als een vrouw dat allemaal bij me had geflikt had ik haar allang gedumpt.

Bij Luna heb ik nog nooit getwijfeld of ik niet beter van haar af zou kunnen gaan. Ik heb me nog nooit een seconde afgevraagd of ik wel van haar hou. Ik heb nog nooit gedacht dat ik zonder haar weleens gelukkiger zou kunnen worden. Nu ja, bij die duikschool in Port Douglas eventjes dan.

Bij een vrouw had ik me allang achter de oren gekrabd.

Iedere crisis, iedere ruzie, ieder moment van sleur en iedere rotdag die ik ooit had in een relatie, zorgde ervoor dat ik me afvroeg of ik wel echt van haar hield. Was dit haar wel, de vrouw met wie ik oud wilde worden? Zou er geen vrouw zijn die makkelijker was in het dagelijks gebruik?

Toen ik Carmen ontmoette, had ik voor het eerst het gevoel dat dit ze weleens kon zijn, de langverwachte liefde van mijn leven. Ik werd gelukkig, alles klopte. Ik hield zielsveel van haar. Ik was als de dood dat het geluk dat me was overkomen me op een dag zou worden ontnomen. Dat Carmen me bij het grofvuil zou zetten omdat ze me beu was. Of dat ze een ander had. Of achter een slippertje kwam.

Dat gebeurde. Carmen ontdekte dat ik Sharon, de receptioniste van BBDVW&R/Bernilvy, het reclamebureau waar ik toen werkte, had geneukt. Toen wist ze zeker dat ik nooit trouw zou worden of er zelfs maar een poging toe zou wagen. Jaren daarna vertelde ze me dat ze na Sharon even op het punt had gestaan me te verlaten, maar dat ze daarvoor te veel van me hield.

En daar heb ik een verkeerde afslag genomen.

In plaats van minder, of zelfs helemaal niet meer vreemd te gaan, ging ik mezelf aanpraten dat ik last had van monofobie: de angst voor een monogaam leven, met als gevolg een dwangmatige behoefte om vreemd te gaan.

Nu, tien jaar later, begin ik te beseffen waar ik écht bang voor was.

Ik was doodsbang voor de liefde.

Voor het eerst in mijn leven had een vrouw me in haar macht. Ik was zo bang Carmen te verliezen, dat ik zelf het initiatief maar nam en die liefde beetje bij beetje kapotmaakte met zo veel mogelijk affaires met andere vrouwen. En daarna was het gewoon wachten op de genadeklap.

Waar die gozer uit Nieuw-Zeeland stopte en zichzelf en zijn vrouw de kans bood om zich over te geven aan de liefde, zou ik net zo lang zijn gevlucht tot de liefde kapotging. Ik begin me te realiseren dat als Carmen gezond was gebleven, ik er zélf ooit vandoor was gegaan. Bij een van mijn slippertjes was ik onvermijdelijk een keer verliefd geworden en was dan naar die ander gevlucht, omdat het met Carmen 'toch niks meer voorstelde'. Op naar het volgende einde.

Hoe bizar het ook klinkt, eigenlijk moet ik de kanker dankbaar zijn.

De kanker heeft onze liefde gered.

'Je weet toch nog wel hoe fijn het voelde om voor Carmen te zorgen in haar laatste weken?' had Nora gezegd. *'Luna kan jou weer leren hoe fijn het is om van iemand te houden.'*

Nora had gelijk.

Als ik bang blijf voor de liefde, dan moet ik straks, over dertig, veertig jaar, op mijn sterfbed bekennen dat die twee weken van Carmens sterfbed achteraf ook de gelukkigste van míjn leven waren.

Dan is Carmen echt voor niets doodgegaan.

NEGENENDERTIG

Na het culinaire debacle van gisteren mag Luna vandaag kiezen wat we gaan doen.

'Fietsen, pap, net als toen over het strand!'

Ik huur een fiets bij de receptie van het Munna Point Caravanpark en vraag de vrouw achter de balie waar we in Noosa over het strand kunnen fietsen. Ze kijkt me verbaasd aan. De plaatselijke trots is namelijk een tien kilometer lange houten fietspromenade, prachtig aangelegd, dwars door de jachthavens, over meertjes, kanaaltjes en langs de baai.

Ook goed, antwoord ik haastig. Zodra zij uit en het zand in zicht is, zien we wel weer verder.

We krijgen een kaart en fietsen over de houten fietspromenade naar het grote strand van Noosa Beach. Gadegeslagen door een surfklasje *Baywatch*-waardige meisjes til ik mijn fiets de trap af, het strand op.

Binnen drie meter zit ik vast. Dit is geen fietszand.

Ik hoor de meisjes lachen. Met moeite overtuig ik Luna ervan dat dit geen goed idee is. Snel maak ik me uit de wielen.

Tot mijn genoegen zit aan het strand een keur aan Franse, Italiaanse, Griekse en Australische haute cuisine. Luna mag het etablissement kiezen.

Met twee hotdogs en een hoeveelheid ketchup en mosterd waar je met terugwerkende kracht jeugdpuisten van zou krijgen, gaan we weer op het strand zitten. Luna's ogen glinsteren. Ze schurkt tegen me aan, samen verorberen we onze hotdogs en lachen we om de *Baywatch*-meisjes, van wie de meeste tot mijn genoegen meer op hun snufferd in het water liggen dan dat ze op hun plank staan. Dat zal ze leren.

Als we door Hastings Street, de plaatselijke P.C. Hooftstraat, fietsen, zie ik tussen de designershops een souvenirwinkel waar kunstkerstboompjes in de etalage staan.

'Luna, wat dacht je van een kerstboom voor in de camper?'
Ze veert op en begint te hupsen in het zitje.
Ik til haar van de fiets en zet hem op slot. Intussen rent Luna naar de winkel en drukt haar neus tegen de etalageruit.
Behalve kerstboompjes staan er ook poppen.
Ik zie haar kijken naar een stoffen pop met geelblond haar, in een turkooizen jurkje met een hart erop. De pop heeft een vette, geborduurde glimlach. Vrolijk type wel.
Als ik bij de toonbank het kerstboompje, enkele kerstversieringen voor in de camper en twee kerstmutsen afreken, leg ik zonder dat Luna het ziet de pop erbij.

Zo gauw we de camper hebben ingericht, vertel ik Luna dat ik nog een verrassing voor haar heb. Ik geef haar het in cadeaupapier verpakte pakje.
Luna vliegt me om de hals als ze ziet wat het is.
Ik glunder. Makkelijk scoren, dit.
'Weet je hoe ik haar noem, pap?'
'Claudia Schiffer?'
'Nee, ik noem haar Roos.'
Ik schrik ervan. Volgens mij heb ik sinds Thailand vermeden het over Roos te hebben waar Luna bij is. Ik voel me al schuldig als ik tijdens het voorlezen uit *Jip en Janneke* aan haar denk.
'Eh... Roos. Oké. Waarom Roos?'
Ze haalt haar schouders op. 'Ze lijkt op Roos.'
Ik kijk naar de lachende mond en het blonde haar van de pop.
Ze heeft helemaal geen tieten, wil ik protesteren, maar ik hou mijn mond.
Luna pakt haar Roos vast en geeft haar een knuffel.
Zij wel.

VEERTIG

De buitenwijk van Brisbane lijkt op zo'n mijnwerkersstad die je altijd ziet in Engelse films waar het gezinshoofd een buik, een tattoo van een buldog en een alcoholverslaving heeft.

Ik kijk om me heen of ik ergens een internetcafé spot.

Bij een kruising zie ik er eentje. Een knalgeel gebouw met een winkelruit waarop in grote rode letters staat dat een uur internetten hier maar vijftig dollarcent kost. Pik in, 't is winter.

Ik parkeer de camper langs de kant van de weg. Na een zware onderhandeling worden Luna en ik het eens dat ik één uur ('tot de grote wijzer één keer helemaal is rond geweest') de tijd krijg in het internetcafé. Gewapend met Popje I, Popje II, pop Roos en nog enkele andere knuffels stappen we naar binnen.

Sinds de mail in Townsville heb ik niks meer van Roos gehoord.

Op mijn sms na het gesprek met de Nieuw-Zeelander heb ik geen antwoord gekregen. Ik neem me voor het voorval met Luna's nieuwe pop alleen te mailen als ik nu een mailtje van haar heb ontvangen.

Met bonzend hart log ik in op hotmail. Koortsachtig glijden mijn ogen langs de namen in mijn inbox.

De uitslag is nog teleurstellender dan de mail van Thomas die als titel 'Ajax–PSV 1–3 :-)' heeft.

Geen Roos te bekennen.

Ik scroll naar beneden. Ook niks. Alleen haar beruchte mail van vier weken geleden staat er nog.

Wat een domper.

Waarom zijn vrouwen toch altijd zo standvastig als het niet uitkomt? Teleurgesteld open ik de overige berichten in mijn inbox. Carmens moeder stuurt me een kerstkaart, nog een mailtje van Thomas, ditmaal met een flauw filmpje over een negerin, Frenk vraagt of ik vóór 31 december terug wil komen op zijn vraag over mijn aandelen en vermeldt erbij dat zijn nieuwe strateeg best interesse heeft om ook een deel van me over te nemen. Verder nieuwsbrieven van Club More en Arena en de weekaanbiedingen van Bol.com. Niksnienadanoppes van Roos.

Mijn maag trekt samen.

'Luna, we gaan zo.'

Ze heeft haar Roos net midden in de kring van de andere knuffels op de grond van het internetcafé uitgestald. Die is dus jarig.

Ik heb nog 47 minuten tegoed, zie ik op het scherm. Ik kijk nog even op de Ajax-site om te zien van wie Ajax komend weekend weer gaat verliezen en zie op www.nos.nl dat er misschien een elfstedentocht aan komt in Nederland. Lekker boeiend.

Toch nog even inloggen op hotmail. Misschien dat ze toevallig net... Nee.

Teleurgesteld log ik uit.

'Luna, kom, we gaan.'

'Maar je had gezegd dat we hier zouden blijven tot de grote wijzer helemaal rond-...'

'Ruim die popjes op!'

Kwaad begint ze haar popjes in haar Winnie de Poeh-koffertje te gooien. 'En je zou Roos schrijven dat ik nu een pop heb die Roos heet.'

'Zeg, als jij je nou eens lekker met je popjes bemoeit, ja!'

Het Newmarket Gardens Caravanpark ligt drie blokken verder. We rijden de parkeerplaats op. Ik word er niet blij van. Het receptiegebouwtje ziet er net zo vervallen uit als de buitenwijk waarin het ligt. De slagboom is omhoog. Ik besluit even een rondje te rijden. Wat een afknapper. Op het hele Newmarket Gardens Caravanpark staat niemand.

We zijn hier, zogezegd, alleen.

Ik rij terug naar de ingang. Daar kijk ik naar het aftandse receptiegebouw. Er hangt een bordje OPEN. De gezelligheid straalt er niet vanaf. Er zit niet eens kunstsneeuw op de ramen. Hier zouden we kerst moeten vieren? Ik werp een blik op Luna. Die zit te luisteren naar haar sprookjescassette.

Ik pak de kaart. Op de tabel staat dat de afstand Brisbane-Byron Bay 180 kilometer is. Vanuit dit afgrijselijke deel ten noorden van het centrum van Brisbane misschien 190. Twee uurtjes rijden. Luna zal zo wel slaap krijgen. Perfecte timing. Net voldoende voor haar middagdutje.

Ik geef Luna een pilletje en een snoepje, start de motor, draai de parkeerplaats van het Newmarket Gardens Caravanpark af en zet koers richting Australia's #1 love and peace spot.

EENENVEERTIG

BYRON BAY 189 KM

Dit is jullie reis, dat voelde ik vanaf het moment dat ik zo naïef was om mee te gaan naar Thailand. Ik hoorde daar niet.

Thailand was een zelfverstopt paasei. Ik zocht de bevestiging dat het nooit iets tussen mij en Roos zou worden en kreeg die bevestiging ook. Het was proefondervindelijk vastgesteld: wij waren niet voor elkaar bestemd. Punt.

BYRON BAY 157 KM

Sterker nog, ik hoorde al niet meer bij je toen Carmen overleed.

Ze heeft gelijk. Vanaf de dag dat Carmen overleed was onze relatie kansloos.

Natuurlijk, ze was de enige bij wie ik geen behoefte had om mezelf een delirium te zuipen. Natuurlijk, ze was de enige bij wie de seks niet leeg voelde, de enige van wie ik het fijn vond als ze bleef slapen.

Ik voelde me thuis bij Roos. Maar het bleef kansloos.

Roos was onderdeel van het verleden en als ik ergens na Carmens dood geen zin in had, dan was het wel het verleden. Het was zomer, de toekomst was weer begonnen, Amsterdam lag aan mijn voeten. Ik wilde helemaal niet dat zíj De Vrouw Die Mijn Leven Ging Veranderen zou zijn. Roos was *yesterday's papers*.

BYRON BAY 132 KM

ik heb er in ieder geval alles aan gedaan om het een kans te geven, ondanks de muren die jij na Carmens dood steeds opwierp.

Steeds als we maar in de buurt dreigden te komen van iets wat op
een relatie leek, zoals na onze heerlijke weekendjes in Antwerpen en
Rotterdam, ging ik redenen bedenken waarom het niet kon werken
of ging ik dingen doen waardoor het inderdaad niet werkte.

BYRON BAY 111 KM

In tegenstelling tot al die andere meisjes kon ik jou niet delen, terwijl ik
nu niet eens weet met wie en hoe vaak je geneukt hebt.

Ik neukte een hele kudde jonge schapen. Het was mijn manier om elk
sprankje liefde, waar ik doodsbang voor was, de kop in te drukken.

BYRON BAY 61 KM

Dat voortdurende verzet van jou tegen mij, tegen de groei van iets dat een
echte liefde had kunnen worden.

Maar ik wilde helemaal geen liefde, godverdomme! Ik had er twee
weken aan mogen proeven en toen was de liefde dood, hartstikke
dood. Ik haatte alles en iedereen die een gevoel wist op te roepen dat
ook maar in de buurt van de liefde dreigde te komen.
Fuck de liefde!

BYRON BAY 38 KM

Ondanks alle kritiek van de buitenwereld ben ik blij met wat we samen
gehad hebben.

Na Carmens dood schaamde ik me nog meer om met haar gezien te worden dan ervoor. Ik wilde iedere zweem vermijden dat het ooit weleens iets zou kunnen worden tussen mij en de vrouw waarmee ik Carmen had bedrogen.

BYRON BAY 23 KM

Ik moet accepteren dat ik de Stijn die zijn hart durft te geven niet naar boven heb kunnen brengen. En met een andere Stijn wil ik niet leven.

Ik wilde niet van je houden.
Het mocht niet van mezelf.
Ik wilde jouw liefde verneuken, snap dat dan.

WELCOME IN BYRON BAY, CITY OF LOVE AND PEACE.

Ik maak Luna wakker. Haar speentje zit nog in haar mond, pop Roos ligt op haar schoot. Ik haal een hand van het stuur en streel door mijn dochters haar.

'We zijn er, zonnetje.'

Het oogverblindende wit van de vuurtoren van Byron Bay doet pijn aan mijn ogen. De lucht is strakblauw en zover als ik kan kijken is er zee. Er is hier verder niemand. Bij de vuurtoren staat een bord waarop staat dat dit het oostelijkste punt van Australië is. Men moet ergens trots op zijn.

Ik draai me om en voel aan de deur van de vuurtoren. Hij is open. Ik ga naar binnen en loop de wenteltrap op. Met bonzend hart kom ik boven. Ik stap naar buiten, op het ronde platform.

Het uitzicht is adembenemend. Ik ga over de reling hangen en staar naar de zee, de prachtige, kalme blauwe zee, tientallen meters onder me. Ik gooi mijn hoofd achterover, sluit mijn ogen en luister naar het zachte geruis van de golven. Wat een rust, wat een weldadige rust.

Ineens gaat de stalen deur van de vuurtoren open. Shit. Mag ik hier eigenlijk wel komen? Australië is een diapositieve versie van Amsterdam: niks mag tot er expliciet toestemming voor is gegeven. Mijn hart bonkt in mijn keel. In de deuropening verschijnt een vrouw in een blauw jurkje. Ik houd mijn hand boven mijn ogen.

Een overweldigend gevoel van blijdschap golft door me heen. Er verschijnt een lach op mijn gezicht, ik zou het willen uitschreeuwen.

De vrouw in het blauwe jurkje lacht haar brede lach, waarbij haar linkermondhoek krult zoals zij alleen haar linkermondhoek kan doen krullen.

'Carmen!'

Carmen, dezelfde, stralende, prachtige Carmen die ik ken van voor de kanker. Ze blaakt van gezondheid en haar glimlach is nog net zo ondeugend als toen, alsof ze elk moment boven op je kan komen zitten om je te neuken.

Dat doet ze, helaas, niet.

In plaats daarvan strijkt ze door mijn haar. Ik val in haar armen en vlei mijn hoofd als een klein jochie op haar schouders. Ze maakt zich los uit mijn greep, neemt mijn hand in de hare en voert me mee naar de reling.

In de verte, midden op zee, zie ik een stip, die langzaam groter wordt. Ik breng mijn hand boven mijn ogen en tuur naar het water. Als de stip dichterbij komt, zie ik dat het een bootje is. Op zich niet verwonderlijk, voor een bewegend voorwerp op zee. Ik knijp met mijn ogen en zie een silhouet.

Langzaam komt het bootje dichterbij. De contouren van het silhouet worden duidelijker. Het is een vrouw. Met blonde haren. Mijn mond valt open.

In het bootje zit Roos.

Verbaasd draai ik mijn hoofd naar Carmen. En weer naar Roos. En terug naar Carmen. Ik wil iets zeggen, maar Carmen legt haar vinger op mijn mond, glimlacht en knikt alleen.

Voorzichtig klim ik op de reling van de vuurtoren. Ik kijk nog een keer om.

En dan ga ik op de reling staan, kijk naar het bootje dat beneden in de zee dobbert, sluit mijn ogen, spreid mijn armen en, terwijl het angstzweet op mijn voorhoofd staat, spring ik.

DRIEËNVEERTIG

Als ik wakker word lopen de tranen over mijn wangen.
Luna ziet het en streelt zacht mijn gezicht.
'Papa, ben je verdrietig?'
Ik lach, door mijn tranen heen.
'Nee. Eigenlijk ben ik heel blij. En ik wil ergens met je over praten.'

VIERENVEERTIG

'Hallo?'

'Eh... hallo...'

Een paar seconden lang is het stil. 'Stijn. Toch?'

'Ja... Hoi. Met Stijn. Mag ik eh... mag ik even met je praten?'

Stilte.

Ik hoor een zucht. 'Vooruit dan.'

'Fijn...'

'Hoe... eh... Waarvandaan bel je?'

'Vanuit een telefooncel in Byron Bay.'

'Waar is dat?'

'Een paar honderd kilometer boven Sydney.'

'En eh... is het leuk daar?'

'Jahaa... Het is hier een soort Bloemendaal, maar dan warmer, minder hutjemutje, relaxter, veel surfers, lekkere eettentjes, leuke mensen...'

'Goh. Klinkt naar.'

'Het is geen straf, nee.'

'O.'

'Heb je liever dat ik weer ophang?'

'Ach... ik weet het niet.' Roos snuit haar neus, hoor ik. 'Ik vond het niet zo leuk dat je me bleef sms'en. Maar tegelijk is het ook wel fijn om je even te horen eigenlijk.'

'Hoe eh... gaat het met je?'

'Kut.' Ze moet er zelf om lachen, door haar gesnotter heen. 'Maar met jullie gaat het dus wel goed?'

'Heel goed, hè Luna?'

260

Luna knikt enthousiast. Ze kijkt me verwachtingsvol aan. 'We doen veel leuke dingen samen, we zien van alles, we maken samen ruzie, we lachen samen en als Luna slaapt, dan eh... denk ik na.'

'Toe maar...'

'Over mezelf, over mij en Luna, over Carmen, over de liefde...'

'Heb je een eh... iemand ontmoet daar?'

'Min of meer.'

'O.'

'En jij?'

'Nee, natuurlijk niet.' Ze klinkt geïrriteerd.

'Wat ga je met kerst doen?'

'Ik weet het nog niet,' zegt ze met een diepe zucht. 'Misschien naar mijn moeder, ik heb nog geen plannen.'

Luna tikt steeds dwingender op mijn schouder.

Nu dan. Drie, twee, één, *jump*...

'Heb je zin om kerst te vieren in Byron Bay?'

'Pardon?'

'We... ik... wil graag dat je naar Australië komt.' Luna veert op en begint heftig ja te knikken. 'En ik krijg de indruk dat Luna het ermee eens is.'

'...'

'Roos?'

'...'

'Roos?'

'Wa... eh... maar eh... waa-... waarom?'

'Omdat ik erachter ben gekomen dat ik eh...'

'Dat je wat...?'

'Dat ik van je hou.'

VIJFENVEERTIG

We zijn anderhalf uur te vroeg.

Ik ben al de hele dag aan het tijdrekken. De ballenjongens van Ajax zijn er niets bij. Eerst hebben we, voor we in de camper stapten in Byron Bay, een internetcafé bezocht om te kijken of ze nog vertraging had opgelopen. Daarna hebben we op het strand van Surfers Paradise gelegen, zo lang we konden bij Burger King gegeten, de dagelijkse portie speeltuin genuttigd en toen in een internetcafé bij het strand nog maar een keer gekeken of ze geen vertraging had. Dat bleef me bespaard, want veel langer had ik het echt niet kunnen rekken.

Ze is geland, meldt het scherm boven ons hoofd. Precies op tijd.

Een klein wonder, met drie tussenstops.

Er was, zo vlak voor Kerstmis, geen enkele normale luchtvaartmaatschappij die nog plek had. Mijn dreigement dat mijn nieuwe vriendin met Kerstmis hier móést zijn, al zou ik er eigenhandig een vliegtuig voor moeten kapen, bracht het meisje achter de balie van het reisbureau in Byron Bay op een idee: er is een islamitische luchtvaartmaatschappij, Royal Brunei Airways, die via Londen naar Brisbane vliegt. Weliswaar met tussenstops in Dubai en Brunei, en tja, er moest ook nog wel een aparte vlucht van Amsterdam naar Londen worden geboekt, maar dan moest het allemaal lukken.

Alles bij elkaar is ze veertig uur onderweg. Ik geef ook eens een kerstcadeau.

Het lijkt een eeuwigheid geleden dat ik Luna gisterochtend vroeg het sms'je voorlas, waarin Roos schreef dat ze nú op Schiphol het vliegtuig instapte. Sindsdien heb ik zo ongeveer elk uur op een wereldkaart moeten aanwijzen waar Roos op dat moment waarschijnlijk zou zijn. Zelf tel ik de uren al af sinds ik haar heb gebeld, nu vier dagen geleden.

Toen we vanmiddag met de camper uit Byron Bay vertrokken, terug richting Brisbane, voelde ik me net als vroeger, als ik op zaterdag na het avondeten eindelijk op mijn fiets kon springen naar het NAC-stadion aan de Beatrixstraat in Breda.

In mijn opwinding over de komst van Roos was ik vanochtend glad vergeten Luna haar reistabletten te geven, maar mijn dochter had zo'n goede zin dat haar lijf spontaan vergat wagenziek te worden. Op de autoradio vond ik een dancezender en al rijdend deed ik Luna voor hoe daar op Ibiza op werd gedanst. Ze was door het dolle heen.

Toen 'Another Chance' van Roger Sanchez voorbijkwam, heb ik de speakers even helemaal uitgewoond. De laatste keer dat ik dat nummer hoorde, lag ik bij het zwembad in Ibiza recht in de kut van een van de Dolly's te kijken. Ik ruil het uitzicht graag in voor het vooruitzicht van zo meteen, het moment waarop ik Roos in mijn armen neem.

Ze had er niet lang over gedaan een beslissing te nemen. Ik had haar verteld hoe ik de afgelopen maanden had beleefd. De voortdurende depressie van de eerste maand. De impact van haar mail op de avond met Tanja. Het gesprek met de Nieuw-Zeelander. De herontdekking van de liefde, door simpelweg te voelen hoeveel ik van Luna hield. De rit naar Byron Bay en mijn besef dat ik met haar hetzelfde had gedaan als met Carmen: mijn liefde verneuken, uit angst voor diezelfde liefde.

'En nu, heb je nu ineens wel vertrouwen in de liefde?' had Roos gevraagd.

'Als je het eerlijk wilt weten: ik ben er doodsbang voor...'

'Dan kom ik je helpen,' zei Roos beslist, na een gesprek van 43 minuten en 18 seconden.

Ik had, met Luna in mijn armen, staan springen op het gras bij de camper.

Sindsdien zweefde ik. Mijn aura straalde een gat in de ozonlaag, mijn aantrekkingskracht leek plotseling te zijn gegroeid tot het niveau van George Clooney en de kerstman in het kwadraat. Kinderen lachten me toe, barmannen vonden me de tofste peer, de lekkerste wijven van Byron Bay knipoogden en flirtten, maar ik was ongekend ongenaakbaar.

De enige aan wie ik dacht was Roos. We lagen elkaar de hele dag door te sms'en, ik vanaf het strand van Byron Bay, zij vanuit winkels in winters Amsterdam, wanhopig zoekend naar bikini's, zomerjurkjes en teenslippers.

In mijn openheid had ik, direct nadat ik een ticket voor Roos had weten te bemachtigen, het thuisfront gemaild. Ik had een nieuwe vriendin, schreef ik. Ze was nu onderweg van Nederland naar Australië, en ze zou vanaf Kerstmis met ons meereizen. En ze heet... Roos.

Mijn enthousiasme werd niet gedeeld.

De laatste maanden had ik weinig mail gekregen, maar daar kwam nu verandering in.

Thomas en Anne vonden het wat vroeg allemaal, een halfjaar na Carmens dood. 'Verwacht geen open armen,' mailde Anne. Maud zei dat het pijn deed. Ramon vond dat ik de neiging had om op knopjes te gaan drukken als de dingen tegenzaten en betwijfelde of dat niet weer het geval was. 'Waarom Roos nu ineens?' schreef een van de Dolly's. Natasja mailde dat ze niet begreep waarom ik, krap drie maanden na Thailand, nu wel ineens van Roos zou houden. Carmens moeder zei dat Carmen waarschijnlijk blij voor ons zou zijn geweest en dat zij dat ook zou proberen. Alleen Frenk reageerde niet.

Ik had geen vrienden gemaakt door Roos in het geniep mee naar Thailand te nemen. En ook niet door haar in alle openheid naar Australië te halen.

De eerste passagiers komen door de deuren. Luna staat te springen en vraagt onophoudelijk waar Roos blijft. Ik ben nog nerveuzer dan mijn dochter. Het voelt alsof ze zo meteen ons leven binnenstapt.

Luna ziet haar als eerste. Ze trekt me aan mijn arm en wijst.

'Papa, kijk dan, Roos, daar!' fluistert ze verlegen.

Daar staat ze, tussen de schuifdeuren van Brisbane Airport, ons met haar ogen zoekend.

De toekomst is weer begonnen.

VERANTWOORDING

907 van de 57.783 woorden in deze roman zijn aantoonbaar niet van mezelf. Dat is ruim anderhalf procent, om precies te zijn 1,57%, voor de statistici onder u.

147 woorden (0,25%) komen van andere schrijvers. *Written samples*, ofwel *wramples*. Wat in de muziek mag, moet ook in de literatuur mogen. In de noten op de volgende pagina vindt u precies welke woorden en uitdrukkingen ik heb geleend. De belangrijkste: 48 woorden zijn afkomstig van Richard Bach (uit *Brug naar de eeuwigheid*), 47 van Carlos Ruiz Zafón (uit *De schaduw van de wind*), 27 van Yann Martel (uit *Het leven van Pi*), 13 van Jacob van Duijn (uit *Hyper*) en 12 van Jan Wolkers (uit *Turks fruit*).

271 woorden – 0,47% van *De weduwnaar* – komen uit songteksten. Er zijn een kleine twintig fragmenten opgenomen van o.a. Tröckener Kecks (92 woorden), Peter Koelewijn (62), Snow Patrol (24), Doe Maar (19), Nickelback (16), Het Cocktail Trio (14), Moby (7), Roger Sanchez (6), Jackie Wilson (5) en de B-Side van NAC (5).

Ten slotte zijn zo'n 489 woorden, goed voor een goeie 0,85% van *De weduwnaar*, gebaseerd op verhalen, anekdotes, opmerkingen en uitdrukkingen van vrienden en vriendinnen. Deze 489 woorden zijn als volgt verdeeld: 231 komen uit een anekdote van Chris, 123 uit een verhaal van Jaan, 62 uit een blunder van Bien, 23 uit een legendarische opmerking van Femke, 17 uit een opmerking die Rena ooit te horen kreeg, 16 zijn er made by Tom, 13 uit een zin die neef Bart ooit iemand hoorde zeggen en 2 uitdrukkingen van elk 3 woorden komen van Engin en Kurt. Het woord 'ovulatiegesprek' komt van een vroegere werkster van me, wiens naam me, gelukkig voor haar, is ontschoten. En dan zijn er ongetwijfeld nog woorden, anekdotes en uitdrukkingen van mensen die ik bij, in of op Project X, de Pilsvogel, Ibiza, Thailand of Australië heb ontmoet.

Veel wijsheden, uitdrukkingen en rituelen rond en over coke en cokegebruik zijn geïnspireerd op het boek *Coke* van Ad Fransen (2005).

Stijns analyse over vreemdgaan en getrouwde vrouwen als doelgroep is eerder gepubliceerd in *Red*. Enkele zinnen over de clubscene van Ibiza verschenen in *Nieuwe Revu*.

Het Oud Hollandsch Acid Feest en het concert van Tröckener Kecks in het Vondelpark zijn door mij naar een ander tijdstip verplaatst.

DANK

Ik bedank de redacteuren Janneke en Harminke, die wederom nietsontziend tekeer zijn gegaan met hun rode potloden.

Mijn meelezers Don, Elly, Heidi, Kurt, Marni, Mars en Naat voor alle energie die ze hebben gestoken in het becommentariëren van mijn manuscript.

Mijn onvoorstelbaar erudiete uitgever Joost Nijsen voor zijn vertrouwen en wijsheid.

Mars, Marco, Hugo en Eric voor alle marketingactiviteiten om deze 57.783 woorden heen.

Dory, die me aanraadde te springen.

Mijn vrouw Naat voor alles wat ze doet en mijn dochters Roos en Eva voor alles wat ze laten om mij te kunnen laten schrijven wat en wanneer ik wil.

NOTEN

1   (p. 26) Wrample uit *De kleine blonde dood*, Boudewijn Büch (1985).
2   (p. 28) Uit *We Beginnen Pas*, De Dijk (2001).
3   (p. 31) Wrample van Hans Teeuwen.
4   (p. 35) Wrample van boektitel van Saskia Noort.
5   (p. 37) Connie Palmen (1998).
6   (p. 37) Boudewijn Büch (1985).
7   (p. 37) Jan Wolkers (1973).
8   (p. 37) Ronald Giphart (2000).
9   (p. 37) Paulo Coelho (1994).
10 (p. 69) Vrij gewrampled naar *De schaduw van de wind*, Carlos Ruiz Zafón (2004).
11 (p. 80) Vrij gewrampled naar *Het leven van Pi*, Yann Martel (2004).
12 (p. 84) Wrample uit *Hyper*, Jacob van Duijn (2005).
13 (p. 123) Wrample uit *De schaduw van de wind*, Carlos Ruiz Zafón (2004).
14 (p. 156) Vrij gewrampled naar de vaderlandsche dichter Willem Kloos (1859–1938) – niet dat ik goed ingevoerd ben in 's mans oeuvre, maar een beetje googelen doet wonderen.
15 (p. 174) Wrample uit *Joe Speedboot*, Tommy Wieringa (2005).
16 (p. 182) Wrample uit *De schaduw van de wind*, Carlos Ruiz Zafón (2004).
17 (p. 195) Songtekst van Het Cocktail Trio (1961).
18 (p. 211) Deze zin, alsmede de theorie over openingsfases, komt uit een brief van Leslie aan haar vriend Richard in *Brug naar de eeuwigheid*, een prachtig boek van Richard Bach. Het boek is in 1984 uitgegeven door Ankh-Hermes, maar niet meer in het Nederlands verkrijgbaar. Het wordt nog wél in het Engels uitgegeven onder de titel *The Bridge Across Forever: A Lovestory*. Zeer de moeite waard. U moet wel houden van schrijvers die strak in de zweefmolen zitten.
19 (p. 219) Gewrampled van de B-Side van NAC.
20 (p. 223) Wrample uit *De schaduw van de wind*, Carlos Ruiz Zafón (2004).
21 (p. 239) Wrample uit *Heartburn* (1986), wanneer dochter Meryl Streep door haar vader krijgt uitgelegd krijgt waarom manlief Jack Nicholson ontrouw is geweest.